伊江島の記録と記憶
時をこえ 伝えよう

伊江島米軍爆弾輸送船
LCT爆発事件

目　次

発刊のことば

伊江島米軍 LCT 爆発事件 8・6 の会
会　長　島　袋　義　範

　1948年の夏8月は、終戦から3ヶ年余を経て慶良間諸島に強制移送された村民や本島各地に疎開していた村民が島に戻り戦後復興に汗水を流し、島に残された遺骨の収集も大方終り村民生活もやや落ち着きを取り戻しかけていた。その矢先の1948年8月6日17時頃伊江港において、米軍が本土攻撃の為島の北海岸に持込んだ大量の未使用爆弾を海中投棄する為、米軍爆弾輸送船ＬＣＴに25kgロケット弾頭5,000発積載した、その爆弾の上に米兵が駆上がり荷崩れして大爆発が起きた。

　同時刻、本部港から伊江港に着岸した連絡船から乗船客が下船していた人々や迎えに来ていた村民・村外在住者を含め107名の尊い命が失われ、100名余の負傷者、8家屋が全焼する大惨事となった。（俗称：波止場事件）周囲22km余の小さな島での忌まわしく激しい地上戦が繰り広げられた砲弾の中を潜り抜け九死に一生の思いで苦難を乗り越え生き延びたにも関わらず、砲弾を浴び多くの尊い命を落とす、多数の負傷者、家屋の全焼の大惨事から73年の年月が経過した。

　1948年は私達伊江中学校16期生が生まれた年である。同期生の7人が父親、1人が兄をＬＣＴ爆発で失っている。事件が起きたのが8月6日なので、それ以降に生まれた同級生の父親は我が子の誕生を指折り数え今か今と待っていたであろう。我が子の産声さえ聞く事も無く帰らぬ人となってしまった。勿論8名の同級生も父親、姉、兄の姿は記憶の中にさえないままである。当時は敗戦により日本本土から分割され沖縄は米軍の統治下にあった。今日ならば日本政府の責任で補償が手当てされた筈だが、わずかな見舞金（講和発効前補償）が支給されただけとの事だった。大黒柱を失った悲しみと明日からの生活の見通しさえ立たずその後の生活は「苦しい」の言葉だけでは語り尽くせぬものがあったと思われる。2020年11月3日〜8日、那覇市久茂地、那覇市民ギャラリーで開催された「伊江島の記録と記憶」において「伊江島米軍爆弾輸送船ＬＣＴ爆発事件」及び「米軍爆弾集積場火災・爆発事故」について長嶺福信君が長年に渡り収集してきた米軍に依る現場調査の生々しい記録写真及び諸資料の展示に加えて爆発事件体験者の証言ビデオの上映、西小学校6年生の平和劇、「時をこえ伝えよう」のビデオ上映、パレット市民劇場に於いてシンポジウムが行われた。伊江村郷友会の呼び掛けのお陰で開催期間に郷友会会員初め約1,000人の方々に参観いただき改めてＬＣＴ爆発事件の悲惨さを思い起こした。平和希求の大切さを実感すると同時に伊江島で米軍が残した大量の未使用爆弾の処理作業で爆発事件が起きて犠牲になった方々の遺族の苦悩及び今も尚負傷の後遺症に苦しむ方々がいる事を私達は決して忘れてはいけない。米軍が残した未使用爆弾の二つの爆発事故・事件を今回の展示会だけで終わらす事なく記録として書きとめて将来に残さなければならないと爆発事件現場を体験された大先輩の方々のご協力を得て本記念誌を発刊する事になった。多くの皆様に記念誌をご覧いただき終戦直後、伊江島で起きた爆発事件の記憶が未来永劫に語り継がれる事を希望すると同時に那覇市民ギャラリーでの展示会にご協力頂いた伊江村教育委員会、伊江村役場福祉課及び伊江村郷友会、伊江島緑十字機を語る会、更に本誌発刊にご協力いただいた多くの皆様に深く感謝いたします。米軍爆弾輸送船ＬＣＴ爆発事件で犠牲になられた方々のご冥福お祈りし発刊のことばとします。

2021年8月6日

発刊に寄せて

伊江島米軍LCT爆発事件8・6の会
代表顧問　島　袋　清　徳

　この度「伊江島米軍爆弾輸送船ＬＣＴ爆発事件の写真と資料体験談集」が発刊され、この事件に遭遇した者として、又村民の一人として、ご遺族並びに関係者の皆さんと共に喜んでいるところであります。

　戦後76年を迎えている今日、73年前の８月６日は伊江村にとって忘れ難い「米軍爆弾輸送船ＬＣＴ爆発事件の日」である。当時の時代を振り返ると1945年第二次世界大戦末期、３月下旬頃から１ケ月余に渡り伊江村は米軍艦隊による海上から艦砲射撃と空から爆弾投下が昼夜に渡り嵐の様な集中攻撃を受ける。４月16日いよいよ米軍が上陸し、日本軍と村民を巻き込んだ悲惨極まりない地上戦（６日戦争といわれている）が展開された約4,289名（うち村民は約1,500名）の尊い命が奪われた。戦禍を逃れ生き延びた約2,100名近い村民は捕虜となり渡嘉敷島と座間味島へ、着の身着のままの状態で強制移送されその地に収容された。

　１年後、沖縄本島に疎開していた村民（約3,500名）は名護市久志（旧久志村）の収容所に合流する者、本部半島へ行く者、２個所に分かれそれぞれの地で島を離れて２ヶ年間知らない土地で厳しい収容生活に耐えていた。1947年３月待望のふる里へ復帰が許される喜び、希望と夢を抱いて２年ぶりに帰って来た。生まれ島は誰もが目を疑うほど変貌し視界には以前の面影は何一つ無く焦土と化し、家屋は全て崩壊また焼失し、屋敷跡にはその残骸と爆弾の破片、人骨等が散乱し悲惨な戦争の痕跡のみであった。いやでも目についたのは屋敷、農地を問わずブルドーザーで敷潰された村土の中を縦横無尽に走り回っている米軍車両。村民は生まれ育った島の無常の姿に声を失い信じ難い状況を前に、ただ呆然と立ちすくんでいた。

　帰って暫くは、島の東部にある米軍施設コンセット小屋で共同生活、その場所から崩壊、焼失した自分の屋敷跡に遠い所は３〜４kmもある道のりを徒歩で毎日通い、残骸等の方付けその跡に茅葺の小屋を建てる。この状況の中で生活基盤を確保する事は「至難の業」と言われていた。

　しかし村民はくじける事なく、傷ついた心を癒す余裕もなく心身共に疲労困ぱいの身に鞭打って、３度の飯もままならない状況の下で空腹を水で補い、焦土の中を無から立ち上がり必死の覚悟で努力し、その成果も希望も芽生えつつある最中、1948年８月６日17時頃、米軍の未使用25kgロケット弾頭、125トン満載した爆弾輸送船ＬＣＴが突然爆発（死者107名、負傷者約70名、家屋の全損壊8軒）耳が引き裂かれるような爆音と同時に目の前が真っ暗になり、気が付くと港周辺は家族を捜し求める声、またも戦争が起きたと叫ぶ声が飛び交い、右往左往する人々、現場周辺の集落は完全にパニックに陥っていた。

　翌朝の爆発現場周辺は、いつも真白に輝き美しい砂浜も真っ黒に染まり、肉片やＬＣＴの残骸、爆弾の破片が辺り一面に散乱し目をおおうばかりの地獄絵図の光景であった。

　この惨事によって、これまで復興に向けて芽生えてきた希望も夢も一瞬にして打ち砕かれ、残された遺族や負傷した関係者の中には生きる術を失い途方に暮れる人も大勢いて、事件の後遺症を払拭する事は容易ではなかった。村民が受けた経済的、精神的ダメージは想像を絶する計り知

れないものがあった。伊江村は戦中、戦後の傷だらけの苦難の歴史に更に追い打ちを掛ける大きな負の歴史を積み重ねる事になった。この爆発事件は現在ならば国際社会を震撼させ、国を揺るがす大惨事だったと思うが、終戦直後の米軍統治下で世にあまり知られる事なく時代の流れと共に風化していく事を危惧していた。

　この事件の歴史は未来を担う子供達が真の社会平和を築いて行く為に決して忘れてはいけない。沖縄の貴重な歴史として後世に伝承していかなければならない。

　その思いを共有する同志の皆さんが集い「伊江島米軍ＬＣＴ爆発事件８・６の会」を結成し、事務局長の長嶺福信さんが強い信念で記念誌発刊に立ち上がり写真資料の収集、作成、編集に至るまで東西奔走努力され、多くの方々の平和への思いを満載した貴重な歴史資料本が発刊の運びとなり胸が熱くなる思いであります。長嶺福信さんのこれまでご苦労をねぎらい心から敬意を表します。

　更に事件の歴史を風化させる事なく後世に伝承していく必要性を強く訴え火付役となり指導的立場でご尽力いただきました島袋和幸さん（東京在）また会長の立場で気苦労もある中でご尽力されました島袋義範さん、長嶺事務局長と一緒になって豊富な知識と深い経験の下でご貢献賜りました比嘉豊光さん、尚事件の史実を脚本作成し西小学校の児童に演じさせ、保護者や参観者から高い評価を受け、多くの人々に感動を与え、その歴史を伝え広めていただきました西小学校校長宮城康人先生、元教頭の玉城睦子先生、６年生担任の與那城大樹先生、大嶺綾沙先生並びに平和劇を演じた児童、更に体験談を語って頂きました大先輩の皆さん、伊江村当局及び教育委員会、伊江村郷友会、伊江島緑十字機を語る会、沖縄アジア国際平和芸術祭実行委員会、この様な多くの方々がこの米軍ＬＣＴ爆発事件に深い関心を寄せていただき、ご理解とご協力の下でご尽力を賜り出版の日を迎えることができ、感激ひとしおです。

　この記念誌が、事件の史実を広く世に理解され社会平和の礎として永遠に語り継がれることを願う者です。

　　　2021年8月6日

1952年頃の港風景

2020年12月1日の港風景

発刊にあたって

伊江村長　島　袋　秀　幸

　この度、時をこえ伝えよう伊江島の記録と記憶「伊江島米軍爆弾輸送船ＬＣＴ爆発事件」の発刊にあたって、平素より本村で起きた悲惨な事件を沖縄県公文書館から取り寄せた写真に加えて、「いーじまぐちで語るＬＣＴ爆発事件」ビデオ録画、体験者の「ＬＣＴ爆発事件を語る」の資料と共に村立西小学校6年生による「平和劇 時をこえ 伝えよう」等を記録し伝える活動をなされている「伊江島米軍ＬＣＴ爆発事件8・6の会」の島袋義範会長をはじめ関係者の皆様に心から敬意を表します。

　1948年6月13日～16日、島の北海岸一帯（33万㎡）に115,000トンもの爆弾が山積みされていた米軍弾薬集積場で火災が発生し白燐弾貯蔵所やロケット弾貯蔵所等に引火爆発したことにより、広大な土地が吹き飛び、クレーターができ、周りには爆発した爆弾の残骸が散乱するという事故が起きております。その時は、人畜に直接の被害が無かったことは不幸中の幸いであったが、戦禍で荒廃した土地を復興に向けて取り組んでいた村民にとっては先の大戦の終息後も島の土地が傷めつけられたことは、無念至極の思いではなかったかと思惟されます。当時撮影された無造作に積まれた爆弾の写真を見ると、起こるべきして起き、ＬＣＴ爆発事故の大惨事の予兆であったとも捉えられる事故でありました。

　それから約2カ月後の1948年8月6日午後5時過ぎあの悲惨なＬＣＴ爆発事件が起きてしまいました。火災を免れた50,000トンの未使用の爆弾を輸送船ＬＣＴに積み込み島外に運び出す作業中に爆弾が荷崩れして爆発炎上、その爆発音は島内外に響き渡り島の上空を黒煙が覆い尽くし、107名の尊い命が奪われ、負傷者が70余名、また、8家屋の全焼等、戦後最大の犠牲者を出した爆発事故であります。

　戦禍を逃れて生き延びた村民の明るい兆しは一瞬にしてどん底に突き落とされ、ご遺族のご心情を思うと万感胸に迫る思いであります。

　あれから73年の月日が経ち、無情にも人々の心からあの大惨事の記憶が薄れていく情況にあります。この記念誌発刊により史実として記録や記憶を風化させることのないよう、子どもたちの平和学習の一環として役立てながら次の世代に語り継ぎ、ひいては、恒久平和を導くとともに安心して生活できる世界を実現するため「伊江島米軍ＬＣＴ爆発事件8・6の会」の皆様の今後のご活躍をご祈念申し上げます。

2021年8月6日

沖縄の縮図
伊江島の記録と記憶 PartII

伊江島米軍 LCT 爆発事件

LCT 爆発証言記録・長嶺福信
島クトゥバで語る LCT 爆発証言・比嘉豊光

2020 年 11 月 3 日 (火) 〜 11 月 8 日 (日)
10:00〜19:00 (最終日は 16:30 迄)
那覇市民ギャラリー

<伊江島米軍 LCT 爆発事件の記録と記憶の継承>
1948 年 8 月 6 日に起きた県内最大の米軍爆発事件である、「伊江島米軍 LCT 爆発事件」の惨禍から 72 年になる。この間、爆発事件について周知の学習が出来ないままに時間が過ぎていった。そこで今回、那覇市民ギャラリーで「沖縄の縮図・伊江島の記録と記憶」パート 2 として「伊江島、米軍 LCT 爆発事件の記録と記憶の継承」を開催します。同展では写真展示と併せて、ビデオ記録の上映、爆発事件関係資料のスクラップ集の展示と共に被災関係者のトーク（一部シマグチ）及びシンポジウムを行います。広島に原爆が投下された 3 年後の同日夕刻に起きた爆発事件について、認識を改めて学習し、今後に向けて記録の継承を目指します。「又ん、戦さどうやがや」が現出した伊江島の爆発事件です。被災者の苦難の生涯に思いを致し、寄り添う学習の展示会です。その意味で「伊江島米軍 LCT 爆発事件 8・6 の会」として写真及びビデオ記録展を開催します。そして、沖縄の爆発事故は今後も続く「爆弾禍」として普遍的な問題を含むものです。現在も続く「戦災の負の遺産」としての「爆弾禍」について、改めて学ぶ機会にしたいと思います。
（伊江島米軍 LCT 爆発事件 8・6 の会・島袋和幸）

写真：沖縄県公文書館収蔵

戦後 75 年　平和と鎮魂〜共生〜
沖縄アジア国際平和芸術祭 2020

伊江島に降りた白いハト・緑十字機 1945.8.19

<伊江島に降りた白いハト・緑十字機の記録と記憶の継承> 　　　（伊江島緑十字機を語る会）

緑十字機とは、太平洋戦争の終戦処理和平交渉の為に運航された「一式陸上輸送機」で、この終戦処理和平交渉飛行は「緑十字飛行」とも呼ばれている。白く塗られた機体に翼や機体の一部に緑色の十字マークが書かれた事から、そう呼ばれた。

　日本は1945年8月14日ポツダム宣言受諾、8月15日の玉音放送で太平洋戦争の終結が伝えられる。8月16日、フィリピンマニラに居た連合軍最高司令官マッカサー元帥は、日本政府に対し、「即時停戦」を命ずるとともに、「正式降伏受理の打合せをなすため、軍人顧問を帯同する充分の権限を与えられたる使者」をマニラに派遣する様に命令してきた。

　日本政府代表団（全権を任命された河辺虎四郎陸軍中将と15名の降伏軍使）は、8月19日千葉県木更津空港で2機の緑十字機に分乗して午前7時18分に離陸、伊江島飛行場に12時40分着陸、代表団はマニラに向かう米軍C－54輸送機に乗り換え13時30分マニラに向けて飛び立った。17時54分にマニラのニコラス飛行場に到着。代表団はマニラ・シティホールで降伏会議終えて、一行は、8月20日13時3分マニラのニコラス飛行場を離陸、帰路の伊江島飛行場に向かう、伊江島到着は17時45分。

　日本政府代表団は、緑十字機1番機に15名搭乗して伊江島飛行場を8月20日18時40分に離陸、夜間飛行で木更津空港へ向かったが、5時間後に燃料切れとなり、23時55分静岡県磐田市の飯島海岸に不時着、木更津空港に到達する事はなかった。

シンポジウム：11月7日（土）13:00～15:00　会場：パレット市民劇場　【入場無料】
　　島袋清徳（元伊江村長）、石原昌家（沖縄国際大学名誉教授）、謝花直美（沖縄タイムス記者・沖縄大学特別研究員）
　　島袋和幸（伊江島米軍LCT8・6・の会会長）、渡久地政雄（伊江島緑十字機を語る会会長）

□平和劇「時をこえ伝えよう」ビデオ上映／西小学校元6年生

主催：伊江島米軍LCT爆発事件8・6の会、伊江島緑十字機を語る会、一般社団法人すでいる、沖縄アジア国際平和芸術祭実行委員会
後援：伊江村、伊江村教育委員会、伊江村郷友会

1．何故２つの爆弾火災爆発、爆発事件が起きたのか

　1948年６月13～16日伊江島北海岸米軍弾薬集積場で火災爆発事故その僅か２ヶ月後に伊江港にて米軍爆弾輸送船ＬＣＴに積載した未使用爆弾の爆発事件が起きた。

　終戦を３ヶ年経過して米軍未使用爆弾による火災・爆発事故・事件が連続して起きたのは何故か？

　何故そんな悲惨な出来事が起きたのか？事故・事件には原因となるものがある。

　76年前1945年の伊江島を米軍が撮影、残した記録写真でたどってみよう。

1）上陸作戦前の偵察撮影

　写真は米軍が伊江島へ上陸、地上戦を展開する事前調査で上陸場所の選定を目的として海岸線のリーフの状況等を把握目的で低空飛行で撮影

① 1945年２月28日、米軍偵察機が上空9,000mから撮影した伊江島全景。

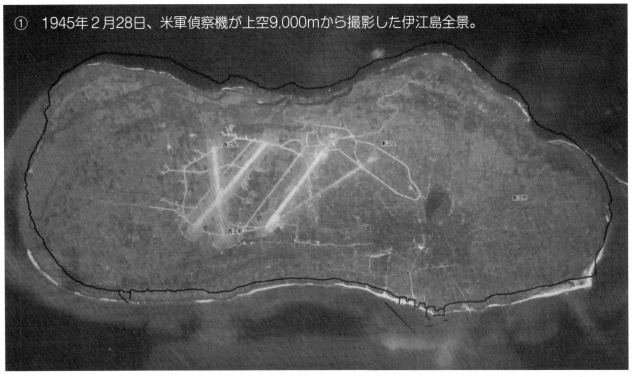

② 1945年３月 低空飛行で城山の南西方向の飛行場真上辺りから撮影遠方に本部町備瀬崎

2）上陸に適した場所選定偵察撮影

陸側から伊江島の南側海岸線を低空飛行して水路リーフや陸側道路へのアクセスの状況を撮影

③　川平集落方面、現在の伊江港海岸線
　　（上陸作戦Red4）

④　西江前集落方面、大口浜海岸（上陸作戦Red3）

⑤　東江前集落海岸線（現在伊江ビーチエリヤ）

⑥　阿良集落方面、戦前の波止場、はるか前方に
　　水納島が見える

海上側から伊江島の南側海岸線を低空飛行してリーフ砂浜や砂斤から陸側の状況を撮影

1945年4月4日

⑦　ナーラ浜（上陸作戦Red2）

⑧　大口浜海岸西側（上陸作戦Red3）

⑨　川平集落海岸線（上陸作戦Red4）、現在の伊江港付近の海岸線
　　A伊江中学校　B上間忠良宅　C並里一熊宅　Dゆくまたんやー（金城）宅

3）米軍伊江島へ上陸占領

　1945年４月12日　米軍は日本軍が伊江島に建設した飛行場を奪取占領して日本本土攻撃の要塞基地にする事を決定伊江島作戦命令出た

① 同年４月16日未明伊江島南西側海岸に向かう米軍艦隊

② 同日午前７時58分伊江島の南西側海岸から上陸開始する米兵士

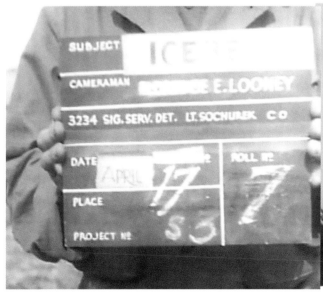

③ ４月17日、爆弾の爆発煙の中城山の西側近くまで接近する兵士

＊4月19日の記録写真が抜けているのは19日は日本軍、米軍にとって最も激しい地下戦が繰り広げられたと記録されている。カメラマンも動けない程の激戦であった。

　従軍記者が戦闘中の前線に兵士達の動きを逐一観察、日々記録を残す。76年前、離れ小島伊江島の中でどんな出来事があったのか？云わず、語らずとも一目瞭然である。記録の大事さ、米国の記録写真ビデオ撮影を徹底する文化、写真記録には嘘は映らない、その時その場の事実をしっかりと忠実に捉えている。私達はその文化を見習うべきではないだろうか？

①　4月18日、防御壁も設けず広い野原での戦闘攻撃中の兵士達、ヘルメットを外した兵士もいて戦中とは思えない程余裕が見られる

②　4月20日 城山近くまで侵攻、無線交信中

③　4月21日 城山に星条旗を掲揚する兵士達、ロープを使い城山の頂上目指す状況のスナップもある

写真①、②、③、④は1945年 4 月23日、総排水量4,000トン級の大型LST（揚陸戦車艦）大口浜に接岸、飛行場、弾薬集積場、道路、墓地、通信基地等の構築用土木建設用重機類の本格的に上陸開始。
写真⑤、⑥は戦禍を生き延びた島民は捕虜となり、島の南西海岸ナーラバマ（ナガラ原）に収容テントでの生活が始まる。1945年 4 月25日頃 その後 5 月中旬頃渡嘉敷島及び座間味島に強制収容される

①

② 現在の伊江港の東端から西方を臨む、LSTの後方にナーラ～西崎海岸が見える

③ 大口浜（ウプグチ）から現在の伊江港方面を臨む、3 年後1948年 8 月 6 日のLCT爆発事件の起きた場所である。

④

1945年 4 月24日アーニーパイルが埋葬された墓標の周辺をパトロールする兵士

⑤

⑥ 1945年1月26日伊江島ノーフ収容所で撮影の
為ポーズする儀間ハルキ先生と子供達

沖縄県公文書館　　　　　　　　　　　　沖縄県公文書

戦死した同僚の墓地の準備の為、測量作業中、現在のアーニーパイル記念碑周辺

川平区に建設された通信基地

浮桟橋周辺の整地作業、手前は水位レベルの測定中

沖縄県公　　　　　　　　　　　　　　　沖縄県公文書館

爆弾集積場面積：
33万㎡（約10万坪）

②

現在リリーフィールド

東江上

現在ゴルフ場

写真は伊江島北海岸に構築された爆弾集積場面積は約33万㎡（10万坪）
この爆弾集積場には500lbsクラスター爆弾、焼夷弾、白リン弾、500lbs汎用爆弾、ダイナマイト、照明弾、40mm機銃カートリッジ、90mm機銃カートリッジ等、約115,000トンが貯蔵されていた。
その一部は本土攻撃の為使用された。
終戦は日本は1945年8月15日、沖縄（琉球諸島）は9月7日。持ち込まれた大量の爆弾は使用先が失くなった。
この大量の未使用爆弾が6月13日の火災、爆発、8月6日のＬＣＴ爆発事件へと繋がって行く。砲弾の島、伊江島の終戦は一体いつの目だったのか？

東江前

リリーフィールド

爆弾集積場面積
33万㎡（約10万坪）

ゴルフ場

２．伊江島米軍爆弾集積場の火災・爆発事故

１）事故概要

　火事発生当日1948年６月13日朝から、チャイナ・ボウセイ（中国国民党）の作業員が集積場から爆弾の積出作業に従事していた。爆弾集積場でチャイナ・ボウセイの士官２名、村民作業者８名、４台のトラック及びチャイナ・ボウセイの運転手が爆弾積込み作業をしていた。

　14時30分頃、ガードポリスの渡久地政郁、東江幸雄及び与那城幸男は、チャイナ・ボウセイの作業員の働いている爆弾集積場現場をパトロールしていた。

　チャイナ・ボウセイのHWは、連絡係として爆弾集積場で爆弾をトラックに積荷する現場と爆弾輸送船LST-107へ積込みする大口浜の間をジープで往来していた。

　チャイナ・ボウセイのHWは、爆弾集積場の西側コーナーの低所付近から煙、火事を発見した。彼はパトロール中のガードポリスの下にジープで乗り付け、爆弾集積場で火事の発生を告げた。それを聞いた東江幸雄及び与那城幸男の２人は、直ちに火事現場に駆け付けた。

　渡久地政郁は、伊江警察駐在所へ向かい巡査部長に火事発生を報告した。同時に渡久地は、村民に緊急事態を知らせる為警鐘を乱打した。

　チャイナ・ボウセイの作業員達全員は消火活動をせず、直ちに集積場を離れて、爆弾輸送船LST-107に戻った。程なく急を聞きつけた村民約300人が火事現場に駆け付けた。

　太田巡査の指揮の下に、村民は消火活動に当たる。

　しかし、照明弾、焼夷弾、クラスター爆弾等の爆弾集積場の３ヶ所において飛散して来た破片で出火して更に火災・爆発が拡大してきた為、消火活動は順調に行かなかった。

　太田巡査は、村民に依る消火活動を行うには非常に危険だと判断、消火活動を中断して村民を避難させる事にした。

　太田巡査、垣花巡査及び伊江村長は、読谷飛行場へ支援を求める電報を送る為、大口浜に接岸しているチャイナ・ボウセイの爆弾輸送船LST-107へ向けて急いだ。
チャイナ・ボウセイの爆弾輸送船LST-107に到着すると、彼らはシュージ・タツ大尉の許可を得て、通信士は読谷飛行場の部隊から支援依頼の電報を打電した。

　18時30分頃、ガードポリスのメンバーは火事・爆発現場近くに住んでいる村民に呼びかけ安全な場所に避難させた。

　ガードポリスと村の若者たちが民家への火事の広がりを阻止するため、火事・爆発現場及び住民の家屋の監視を続けた。

　火事に因って起こった爆弾集積場の爆発は3日間続いた。そして６月16日に降り出した大雨で消火、沈火した。この火事・爆発に伴う人身及び家畜等の被害はなかった。

1948年6月13日　当直のガードポリスメンバー

知念　徳蔵	与那城健昌	玉城　長三	島袋　俊清	島袋　宗正
与那城幸男	東江　実盛	東江　幸雄	山城　万英	渡久地政郁

2）爆弾火災・爆発事故現場写真

米軍上陸36日前
（1945年2月28日撮影）
→
占領1年後
（1946年4月19日撮影）

現在リリーフィールド

米軍爆弾集積場

現在ゴルフ場

城山

1948年６月13日伊江島北海岸の米陸軍弾薬集積所の火災・爆発現場風景、弾薬集積場東端辺りから島の東方を臨む

右遠方に本部半島の備瀬崎がかすかに見える 道路上には爆弾の多数の破片が散乱している

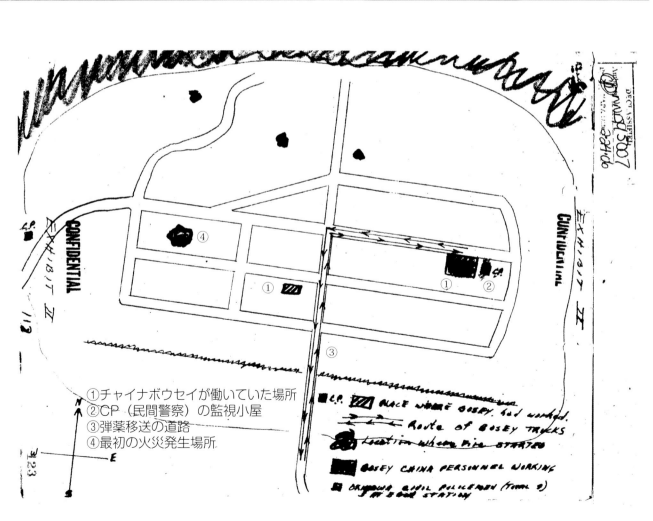

①チャイナボウセイが働いていた場所
②CP（民間警察）の監視小屋
③弾薬移送の道路
④最初の火災発生場所

白燐弾貯蔵所の火災・爆発現場。白燐弾の残骸
（1948年６月13日の火災・爆発現場調査）

ロケット弾貯蔵所の火災・爆発発生、破壊されたロケット弾の大量の残骸

火災・爆発の現場の一部で貯蔵されていた爆弾が火災・爆発に依って土地も吹っ飛び、大きな窪みが出来ている。その後方に火災・爆発を免れ残った野積みされた500lbs（237kg）爆弾の山が確認できる
弾薬集積場の貯蔵状態は、野積み状態で貯蔵され、万が一火災が発生しても類焼を防ぐ目的として一定の空間距離をおいて区分して貯蔵された。

50mm機関銃弾薬貯蔵場所の火災・爆発の残骸ぐちゃぐちゃになったカートリッジケースの山

20mm機銃のカートリッジ木箱が開けられている。金属製収納箱のふたが開き凹んでいる戦果品？

火災を免れたロケット爆弾梱包木箱の板が束ねられて草むらに転がっている。戦果品？

米軍弾薬集積場の中央部付近から東の方面を臨む、遠方に本部半島の山並みが見える
手前には100lbs（45kg）クラスター爆弾貯蔵所の火災・爆発により、大きなクレーターが出来、あちこちにクレーターが見える。その周囲は土が盛り上がり爆発の激しさを証明している。奥の方には火災を免れた弾薬の山が幾つか見える

この一帯は250lbs（113kg）汎用爆弾が貯蔵され、6月13日の火災・爆発で大きなクレーターが出来ている。手前には火災を逃れた250lbs（113kg）汎用爆弾がクレーター内に崩れ落ち残っている。更に奥の方に火災を免れた弾薬の山がいくつか見える

90mmHE　M71の燃え残った弾筒の山を調査中の兵器局爆弾部門の検査官達、後方には40mm機銃が貯蔵されていた

米軍弾薬検査官の外観調査中の様子、この一帯には、小型クラスタ爆弾（45kg）、焼夷弾が貯蔵されていた。クラスター爆弾は多数爆弾を内包、人員や車両を破壊する他、滑走路や送電線の施設の破壊、化学兵器、生物兵器の分散させる設計となっていて極めて殺傷能力の高い爆弾である

この場所に貯蔵の汎用爆弾（GP）が集団爆発、爆轟に依り巨大なクレーターが出来ている。深さは約6ｍ。大きくえぐられているこの近くには汎用爆弾の他に焼夷弾も貯蔵されていた
右手前の地上に爆発の衝撃で焼夷弾が崩れている、遠方中央、左側に汎用爆弾250lbs（113kg）貯蔵の山が見える

３人の弾薬検査専門官に依る爆弾貯蔵所の現場調査実施中
この一帯には焼夷弾、汎用爆弾（GP）90mm機銃弾が貯蔵されていた
貯蔵爆弾の周辺には爆発した他エリヤから飛散してきた多数の爆弾破片が散乱しているも無傷である

３人の弾薬検査専門官に依る500lbs（237kg）汎用爆弾（GP）の現場調査実施中
他の場所で火災・爆発した爆弾の破片が飛散し、荷崩れした500lbs（237kg）の周辺に破片が散乱

50mm口径機銃弾貯蔵所の火災　爆発現場

1948年６月13日の爆弾の火災・爆発の飛来物で損傷を受けたにも関わらず不発の500lbs
（237kg）クラスター爆弾を検査する爆弾検査専門官達

火災発火場所
1948年6月13日火災・爆発が起った弾薬貯蔵所でロケット爆弾、白リン弾、焼夷弾等が貯蔵されていた調査して得られた情報から発火場所と特定される

100lbs（45kg）焼夷弾貯蔵所の火災・爆発現場

1948年6月13日火災・爆発があった貯蔵所の一画で火災を免れた40mm弾薬箱子前には爆発した爆弾の破片が散乱している

汎用爆弾（GP）、ダイナマイト（TNT）、500lbs（237kg）爆弾等の貯蔵所の爆発後の現場査察、中央付近は爆発で出来た大きなクレーター

手前の場所にはクラスタ爆弾が貯蔵され、火災・爆発でクレーターが出来ている。しかし爆弾はある一定の距離をおいて貯蔵されていた為、隣接の爆弾は無傷で残った

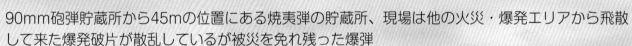

90mm砲弾貯蔵所から45mの位置にある焼夷弾の貯蔵所、現場は他の火災・爆発エリアから飛散して来た爆発破片が散乱しているが被災を免れ残った爆弾

焼夷弾貯蔵所の火災・爆発後の現場宜察実施中の様子、後方には火災・爆発を免れ残存した弾薬貯蔵所

ロケット弾貯蔵所、6月16日大雨で火が消える直前に火災・爆発で破壊された

1948年6月13日火災・爆発現場の残骸
地上部隊の白燐爆弾、M115榴弾砲ブースター等貯蔵所であった

火災・爆発現場査察中の検査官達、火災・爆発により巨大なクレーターが出来ている地上には火
災を免れた100lbs（45kg）爆弾貯蔵の山、クレーターの左手には爆発の衝撃で転倒した爆弾等

写真中央部には火災・爆発に依るクレーターが出来、クレーター内では検査官が査察中で、写真手前の弾薬250lbs（113kg）貯蔵は爆発の影響での一部転倒している

火災・爆発現場を査察する検査官、この場所には5インチロケット弾、発煙弾、白燐爆弾、汎用爆弾、100lbs（45kg）化学爆弾等が貯蔵されていた

伊江島駐在巡査及び民間警備員
1950年7月撮影

①島袋金徳　②東江幸雄　③玉城長三　④内間求男　⑤東江実生

⑥友寄隆一　⑦山城真栄　⑧与那城健勝　⑨渡久地政郁　⑩山城万英　⑪平良盛進

⑫友寄隆三　⑬友寄隆蔵　⑭松田巡査　⑮島袋幸雅　⑯新城清優

1948年6月13日　米軍爆弾集積場の火災・爆発事故の当直として下記のメンバーが居た。

東江幸雄　　玉城長三　　与那城健勝　　渡久地政郁　　山城万英

３．伊江島米軍爆弾輸送船LCT爆発事件

Ⅰ 事件の概要

１．事件に至るまでの経緯

　爆発事件発生の２ケ月前1948年６月13～16日米軍弾薬集積場で火災・爆発が発生し、その後７月上旬まで、米空軍嘉手納基地第11航空弾薬部隊主任検査員に依る火災・爆発事故の現場査察、関係者の聞き取り等が行われ、最終的には原因不明の事故として取り扱われた。

　1948年７月１日弾薬在庫調査で約50,000トンの爆弾が火災を免れ焼けずに残ったと報告されている。

　米国と中国国民党間で1946年８月30日に期限限定の1946年８月30日～1948年６月30日「中国に対する余剰資産一括売却に関する協定」が結ばれた。（伊江村民は1945年５月～1947年３月まで捕虜収容所に居て不在）1948年６月30日には既に本協定の期限が終了した事になる。結局、米軍は７月以降の爆弾の運び出し先を失う結果となった。

　村長は危険な爆弾を早急に片付ける様関係当局に訴え、米軍は各区の村民を動員し、残る爆弾を運び海上投棄する事にした。1948年８月２日川平のウプグチ（大口浜）で島の青年達が爆弾輸送港湾作業隊として米軍の作業に従事、動員された村民は、米軍トラックが各区の家々を回り現場へ出勤した農家の皆さんは日銭稼ぎの為、輪番で軍作業に従事した（させられた）と聞く、爆弾のトラックへ積込及び爆弾輸送船ＬＣＴへの積替え作業、又海上に於いて１個ずつ細心の注意を払いながら揺れる爆弾輸送船ＬＣＴから投棄する危険作業等々。その当時作業に従事した村民の多くは、取り扱う爆弾がどれほど危険極まりない物体か認識してないままに作業に従事させられたのではないだろうか？本来なら特別訓練を受けたベテランの弾薬部隊が行う特殊作業である。取り扱い次第では直ぐ爆発に繋がる潜在的危険な爆弾移送業務と知らせられる事なく、充分な訓練もされる事も無く素人の島民に一方的に軍作業を押し付けた危険な作業であった。

２．爆発事件の経緯

　　日　　時：1948年８月６日　17時28分
　　場　　所：伊江島連絡船浮桟橋　西側約50メートル
　　　　　　　米軍爆弾輸送船LCT（上陸用舟艇）積載の爆弾125トン爆発
　　死　　者：107名
　　負 傷 者：70余名
　　家屋損害：全焼8軒

被害現場付近見取図

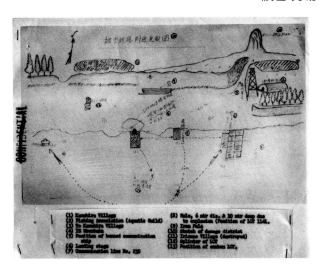

１）爆弾積荷作業状況
　　・爆弾輸送船２隻　・LCT1141（乗組員12名　フィリピン人）
　　　　　　　　　　　・LCT1123（乗組員12名　フィリピン人）
　　・爆弾の積出場所：米軍爆弾集積場
　　・爆弾の積荷場所：大口浜（ウプグチ）連絡船浮桟橋の西方50m付近
　　・搬送ルート：米軍爆弾集積場 ⇒ 城山の東の道路 ⇒ 役場前 ⇒ 川平桟橋 ウプグチ（大口浜）
　　・大型トラックで１回当たり５トン搬送
　　・アハシャバル爆弾集積場：爆弾検査員Hの作業指揮監督の下に積出し作業員数名
　　・積荷桟橋（大口浜）　　　：爆弾検査員Wの作業指揮監督の下、積込み作業員14名
　　・爆弾輸送船LCT1141及び爆弾輸送船LCT1123の間隔は、５〜10m
２）爆弾積荷作業開始
　　・午前６時：作業開始、両船とも爆弾の積荷作業は、大型トラックで、順調に輸送された。
　　・10時頃　：22〜23回目の積込みした時点で爆弾輸送船LCT1141の出航を試みたが干潮の
　　　　　　　　為、本船座礁して動かず。（＊当日、旧７月２日　大潮で干潮）
　　　　　　　　その後も、両船は爆弾の積荷作業が継続された。
３）爆弾積荷作業終了
　　・12時頃　：爆弾輸送船LCT1141及び爆弾輸送船LCT1123爆弾積荷終了。
　　　　　　　　爆弾輸送船LCT1141は座礁した状態であった。
　　・14時頃　：爆弾処理総責任者R大尉と、爆弾検査員HとWの３人は、爆弾輸送船LCT1123へ
　　　　　　　　乗り込む。
　　・15時頃　：LCT1123はウプグチを離桟し爆弾投棄場所海上へ向けて出航した。
　　　　　　　　爆弾輸送船LCT1123がウプグチを離桟後、爆弾輸送船LCT1141は乗組員のみと
　　　　　　　　なり、爆弾処理指揮・監督者不在状態となる。

15時頃、爆発前撮影（爆弾輸送船LCT1123離桟後）

・17時頃　　：本部港からの定期連絡船が入港、乗客が下船開始した。
　　　　　　　・爆発直前、トラックがやって来て爆弾輸送船LCT1141から10mの所に駐車。
　　　　　　　　トラックに黒人兵1人と沖縄人1人が乗っていた。
　　　　　　　・黒人兵がLCT1141に積載された爆弾の上に駆け上がった。
・17時28分：次の瞬間、爆弾が崩れ始めた。爆弾が崩れるのと同時に黒人兵は爆弾と共に崩落
　　　　　　　ちた。そして、ロケット弾頭が爆弾輸送船LCT1141の甲板に当たり爆発した。
　　　　　　　・乗客の全員が下船した後、連絡船は後進で爆弾輸送船LCT1141の後方付近に
　　　　　　　　差掛かった頃爆発が起った。連絡船の乗組員3名は爆発音を聞いている。
　　　　　　　・R大尉、H爆弾検査員、W検査員の3名は、海上投棄場所のLCT1123上で爆弾輸
　　　　　　　　送船LCT1141から黒煙が発生しているのを目視確認したと証言。
　　　　　　　・爆弾輸送船LCT1123は直ちにウプグチに引き返す。
・19時30分：海上投棄に行った爆弾輸送船LCT1123はウプグチに到着。

<h2 style="text-align:center">事 故 の 原 因</h2>

１）爆発の直接原因は黒人兵が爆弾に駆け上がり爆弾が崩落、弾頭が甲板（鋼製）に当たった。
２）間接的原因は現場監督者のH爆弾検査員及びW爆弾検査員が爆発当時、現場に不在だった。
３）同じく間接的原因としてC中尉の指示した通りに積荷作業が実施されなかった。

※爆弾輸送船LCT1141爆発した時、本船に乗船していた乗組員は11名であった。乗組員の1
　人は船長の依頼で15時頃本船を下船して城山の後方にある米軍のベースキャンプに煙草を購
　入に行っていた為に爆発を免れて生存。彼はベースキャンプで爆発音を聞いたと証言してい
　る。

伊江島米軍LCT爆発事件の証言
知念權三の証言

亀谷くにゆき軍曹が通訳として宣誓を行った
米軍：氏名、階級、通し番号、そして所属機関を話してください。
亀谷：亀谷くにゆき、二等軍曹、AF19256933、第13空軍第37統計管理部（嘉手納基地）

知念權三が証人として宣誓を行った
米軍：名前を教えてください。
知念：知念權三です。
米軍：どこに住んでいますか？
知念：伊江村西江前区です。
米軍：あなたの宗教は。
知念：祖先崇拝。
米軍：真実を述べるということの意味を理解していますか？
知念：はい。
米軍：嘘を話すことは間違っていると言う事を理解していますか？
知念：はい。
米軍：なぜ真実を述べますか？
知念：嘘をつくということは気分の悪くなることです。ですから真実を話します。
米軍：真実を私に伝えてくれますか？
知念：はい。
米軍：あなたの証言は、真実であり、真実以外の何物でもないと神に誓えますか？
知念：はい。
米軍：去年の８月に伊江島で起きた爆発のことを覚えていますか？
知念：はい。
米軍：その爆発はいつ起きましたか？
知念：午後３時から４時の間です。
米軍：その爆発が起きたときあなたは何処に居ましたか？
知念：LCTが停泊している浜の向かい丘の上に居ました。
米軍：LCTからどれくらい離れていましたか？
知念：50メートルほどです。

米軍：LCTが爆発するところを見ましたか？
知念：はい。
米軍：LCTが爆発する直後に近くに誰か居ましたか？
知念：数名の少年が泳いで居ました。
米軍：何名の少年が泳いで居ましたか。
知念：5名ほどです。何名かは飛行機の燃料補助タンクを改造したタンク舟に乗っていました。
米軍：爆発の前、あなたは何をしていましたか。
知念：昼食をとっていました。それから友達の家に行き三線を弾いていました。その後連絡船が入港する音が聞こえたので浜の丘へ行きました。
米軍：浜の丘では座っていましたか？
知念：はい。腕を組んで座っていました。
米軍：爆発の直前、浜の方を向いていましたか、それとも別の方向を向いていましたか？
知念：LCTを見ていました。黒人兵たちがトラックで来ていました。
米軍：そのトラックには何名の兵隊が乗っていましたか？
知念：一人か二人の黒人兵と、1人の沖縄人です。黒人兵が一人だったのか二人だったのかどうかは覚えていません。
米軍：そのトラックは浜に駐車しましたか？
知念：トラックはLCTから約10メートルのところに駐車していました。
米軍：トラックが駐車して後、他に何を見ましたか？
知念：一人のフィリピン兵と一人の沖縄の女性

が米軍政府の船から降りてきました。
米軍：他に何か見ましたか？
知念：彼らはLCTの前扉から乗りました。
米軍：他に何を見ましたか？
知念：黒人兵がLCTへ駆けていきました。
米軍：その黒人兵はどこから来ましたか？
知念：トラックに乗ってきた黒人兵でした。
米軍：その黒人兵がLCTの駆け乗ったとき、フィリピン兵と沖縄女性は前扉に立っていましたか？
知念：LCTの中に入って行くところでした。
米軍：その黒人兵はフィリピン兵と沖縄女性を通り過ぎて行ったのですか？
知念：はい。
米軍：それから何を見ましたか？
知念：爆弾が倒れはじめ、それからは覚えていません。
米軍：爆弾が倒れ始めたとき、そのフィリピン兵と、沖縄女性はどこに居ましたか？
知念：彼らがその時どこにいたのかは覚えていません。
米軍：彼らは爆弾の近くに居ましたか？
知念：彼らはそれの近くにいました。2メートルほど離れたところです。
米軍：LCTへ走っていった黒人兵は爆弾からどれくらいの距離でしたか？
知念：爆弾が崩れ始めたときに、その黒人兵は爆弾と一緒に倒れていきました。
米軍：その黒人兵がLCTに乗り込む前に爆弾は崩れましたか、それとも乗った後ですか？
知念：その黒人兵が爆弾に上がった後、爆弾が崩れ始めました。
米軍：その黒人兵が爆弾に触っているのを見ましたか？
知念：覚えていません。
米軍：その黒人兵が爆弾の頂上に上っていくのを見たのですか？
知念：彼はその中に走って行きました。
米軍：あなたはその兵士が爆弾に触れたかどう

　　　かを覚えていないと証言していますが、彼が爆弾に上がって行ったと証言しています。どういうことか説明してください。
知念：彼は手では触れていません。しかし、彼は爆弾に飛び乗ったのです。
米軍：あなたはその黒人兵が爆弾の頂上に歩いて行ったのを見ましたか？それとも走っていったのですか？
知念：彼は爆弾の頂上へ走っていきました。
米軍：爆弾はLCT全体に積み上げられていましたか？
知念：はい。
米軍：爆弾の上以外にLCTに乗って歩くスペースはありましたか？
知念：十分なスペースがあったかどうかわかりません。スペースは見えませんでした。
米軍：言い換えれば、人がLCTに搭乗する場合、爆弾の上を歩く必要がある、ということですね。
知念：LCTの中は全て爆弾でした。ですから他はスペースがありませんでした。
米軍：LCTの外を歩かなければならないということですか？
知念：LCTの中は爆弾で埋まっていました。それで外側を歩く必要があります。
米軍：積まれた爆弾の一部が崩壊していったのを確実に見ましたか？
知念：はい。爆弾が崩れていくのを見ました。
米軍：LCTに爆弾が山積みにされていたのなら、どの部分で崩落をしたのを見ましたか？
知念：爆弾は反対側から落ち始めました。
米軍：爆弾は前扉の方に倒れていったのですか？それともLCTの反対側に倒れていったのですか？
知念：前扉とは逆の方向に倒れていきました。
米軍：前扉の側とは逆の方向ですね？
知念：前扉とは逆の方向です。
米軍：爆弾は前扉の方へ倒れるのを見たのです

か？

知念：前扉からは離れたところです。

米軍：崩壊していった爆弾は黒人兵の目の前に
倒れたのですか？それとも彼の後ろの方
に倒れたのですか？

知念：爆弾の積み荷は2つの山があって、二つ
目の積み荷が崩壊しました。

米軍：その黒人兵は2つ目の爆弾の積み荷が崩
壊し始めたとき触っていましたか？

知念：爆弾の積み荷が崩壊し始めたとき、彼は積
み荷の2つ目の積み荷の上にいました。

米軍：その時、フィリピン兵と沖縄女性はどこ
に居ましたか？

知念：爆弾の積み荷の前です。LCTに乗り込
むため歩いていました。しかし、LCT
に到着することはありませんでした。

米軍：その時他の誰からLCTに乗り込むのを
見ましたか？

知念：誰も見ませんでした。しかし、トラック
から降りてきた沖縄の青年がLCTに向
かっていました。

米軍：LCTの乗組員が何名いたか見ました
か？

知念：そのフィリピン人男性は乗組員でした。
他の乗組員はLCTの後ろで米軍連絡船を
見ていました。具体的に誰が、誰なのか
は、記憶にありませんが、誰かが爆弾の
積み荷が崩れ始めたときに叫びました。

米軍：その人物が何を叫んでいたのか聞こえま
したか？

知念：いいえ。ただ叫び声だけです。

米軍：なんて言っていましたか？

知念：「あ～っ」と大きな声で叫んでいまし
た。

米軍：LCTに爆弾が積まれていたのを知って
いますか？

知念：LCTに爆弾が積まれているのを見て、
爆弾は運搬されてきたものだと知ってい
ました。

米軍：爆弾が崩壊する前にLCTから煙は見え

ましたか？

知念：エンジンはかかっていました。

米軍：どの船のエンジンかわかりますか？

知念：爆弾の積まれたLCTのエンジンです。

米軍：エンジン音は聞こえましたか？

知念：米軍連絡船はフラップを閉じていて、出
航する準備ができていました。

米軍：爆発したLCTのエンジン音は聞こえま
したか？

知念：LCTから煙が出ていました。爆弾の積
まれたLCTからです。

米軍：LCTに赤の旗は見えましたか？

知念：覚えていません。

米軍：爆弾の積み荷が崩壊した後は何を見まし
たか？

知念：爆発の後は何も見ていません。

米軍：爆発の後どのくらい浜の土手にいました
か？

知念：土手の立っている場所に来てから、そこ
に3～4分座っていました。

米軍：浜に来る前に爆弾の積まれた船が入港し
ていることを知っていましたか？

知念：爆弾を見るまでは知りませんでした。

米軍：爆弾や爆弾の積まれた船には近づくなと
言われていましたか？

知念：いいえ。

米軍：爆弾が危険なものと知っていましたか？

知念：はい。

米軍：どうして危険だと知っているのですか？

知念：爆発するからです。

米軍：村の区長は爆弾には近づくなとあなた方
には伝えてないのですか？

知念：爆弾には近づくなとは言われています。
しかし、私は浜に行く時には、爆弾が積
まれた船があるとは知りませんでした。

米軍：爆弾には近づくなとどこで言われました
か？

知念：爆弾の積み荷をしている所には行かない
様にと聞きました。

米軍：誰にそこに近づくなと言われたのです

か？

知念：父です。

米軍：米軍人から爆弾には近寄らないよう伝えられましたか？

知念：浜に行く道路がありますが誰も注意しませんでした。

米軍：だれも爆弾には近づくなと言わなかったのですね？

知念：いいえ、誰も言いませんでした。

米軍：米軍連絡船と爆発したLCTはどれくらい離れていましたか？

知念：約20メートルです。

米軍：どれくらいの人が村の連絡船に乗っていましたか？

知念：具体的な数は分かりませんが、たくさんの人が乗っていました。

米軍：LCTが爆発した時にはたくさんの人が村の連絡船に乗っていたのですね？

知念：村の連絡船から沢山の人が下船しました。

米軍：爆発が起きたとき、それらの下船した人々はどこにいましたか？

知念：浜に残っていたり、道路に出ている者もいました。

米軍：LCTが爆発した時、その連絡船はどこにありましたか？

知念：おそらく、すでに出航していたと思います。

米軍：爆発したLCTと米軍政府の船がどれくらい離れていたといいましたか？

知念：どれくらいだったかは言えませんが、岸から離れていました。そう遠くないと思います。

米軍：爆発前にガソリンの入った樽がLCTにあるのを見ましたか？

知念：覚えていません。

米軍：LCTの近くにガソリンの入ったタンクを見ましたか？

知念：覚えていません。

米軍：爆発のあった日の前に浜に降りましたか？

知念：前の日の午後に浜にいました。

米軍：沖縄人が爆弾の積み荷に手を貸しているのを見ましたか？

知念：いいえ。浜に釣りに行きましたが誰も見ていません。

米軍：爆発で、あなた自身、怪我はしましたか？

知念：けがを負いました。

米軍：あなたの周りにいた人々はその爆発で死亡した人がいますか？

知念：丘の上に立っていた女性が爆死しました。私から20メートルほど離れていました。

米軍：彼女はあなたよりもLCTに近かったのですか？

知念：彼女は私よりもLCTからは遠かったです。

米軍：その爆発からあなた以外に生き残った人はいますか？

知念：水泳をしていて腕を怪我した人以外はいません。

米軍：爆発を目撃した人で生きている人の名前を知っていますか？

知念：私自身しか知りません。誰が爆発を目撃したのかは知りません。

米軍：LCTに乗り込んだ黒人の兵士が手に何かを持っていましたか？

知念：覚えていません。

米軍：LCTに乗り込んだ沖縄女性以外にだれか見ましたか？

知念：私が見た沖縄女性とフィリピン男性だけです。

1949年1月29日

知 念 権 三

翻訳：赤 嶺 美奈子

Ⅱ 米軍爆弾輸送船LCT爆発事件写真集

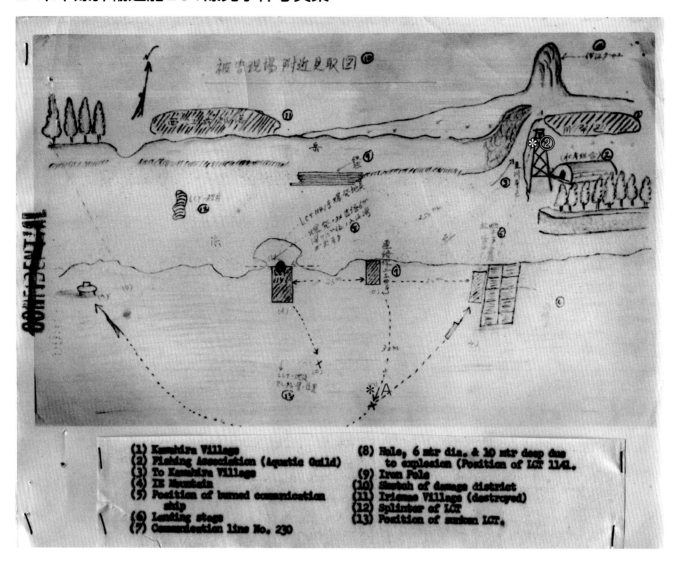

(1) Kawahira Village
(2) Fishing Association (Aquatic Guild)
(3) To Kawahira Village
(4) IE Mountain
(5) Position of burned communication ship
(6) Landing stage
(7) Communication line No. 230
(8) Hole, 6 mtr dia. & 10 mtr deep due to explosion (Position of LCT 1141.
(9) Iron Pole
(10) Sketch of damage district
(11) Iriomae Village (destroyed)
(12) Splinter of LCT
(13) Position of sunken LCT.

被害現場付近見取図

①川平区集落
②水産組合事務所
③川平集落方面へLCT1141から250m
④城山
⑤村の連絡船の位置
⑥連絡船着離桟橋
⑦米軍連絡船　No.230

⑧LCT1141爆発地点直径6m、深さ10m爆発で出来た大きな穴
⑨LCT1141破損した一部が飛散した鉄柱
⑩被害現場付近見取図
⑪西江前区集落（爆風及び火災で焼失破壊されたエリア）
⑫LCT1141破損の一部
⑬LCT1141沈没地点

爆発した爆弾輸送船LCT1141は連絡船の西側約55mに接岸していたとスケッチで表示している

＊連絡船は乗船客を全員下船させ桟橋から本船を後進で＊Aの地点に差し掛かった時に突然爆発したと玉元昭仁氏が証言している。

揚陸艇作戦本部通信所と見張り台

1948年8月8日15時過ぎ頃の人口浜（ウプクチ）の風景
（爆弾輸送船LCT1141爆発2時間前）
＊2隻の内もう1隻の爆弾輸送船LCT1123が大口浜から出港直後の風景で数名の作業員がいる
＊右手の小高い砂丘に人が立っているのが見える
＊爆発した爆弾輸送船LCT1141は写真の左側手前に座礁して接岸中

1948年8月7日早朝の大口浜（ウプクチ）の風景
（爆弾輸送船LCT1141爆発の翌朝）
爆心地から30〜35m付近に散乱する遺体を前にする島民
✕は爆弾輸送船LCT1141が爆発した地点
✕✕は爆弾輸送船LCT1141船体破損の残骸の一部

伊江港の近く上間民宿前の道路を西側50m付近から被
災家屋等のスナップ後方には中学校及び城山が見える

①写真手前、爆弾輸送船LCT1141が爆発した地点から
　真北約90mに位置する民家爆風で家屋が破損して資
　材が散乱している

②爆弾輸送船LCT1141が爆発した地点から約450m
　城山の前方に見える大きなコンセット建物。爆風で壁
　が破壊されている
　農業協同組合事務所であった
　現在この場所にはコンビニエンスストアがある

③この大型コンセット建物の後方100mの位置に同様
　の建物が見える（当時の診療所）

④伊江中学校校舎

⑤茅葺の家屋が数軒見える

爆心地から約450mの場所に建つ大型コンセッ
ト建物低所部分の壁が爆風で破損している
この建物は農業協同組合であった

２枚の写真は家屋が破損した近くで撮影
上の写真は上間民宿前の道路を北に５〜６ｍ入った場所から西江前区方面を臨む
爆心地から真北約90mに位置する民家、爆風で家屋がバラバラに破壊されている･

①はアーニーパイル記念碑
②被災現場を確認している被災者

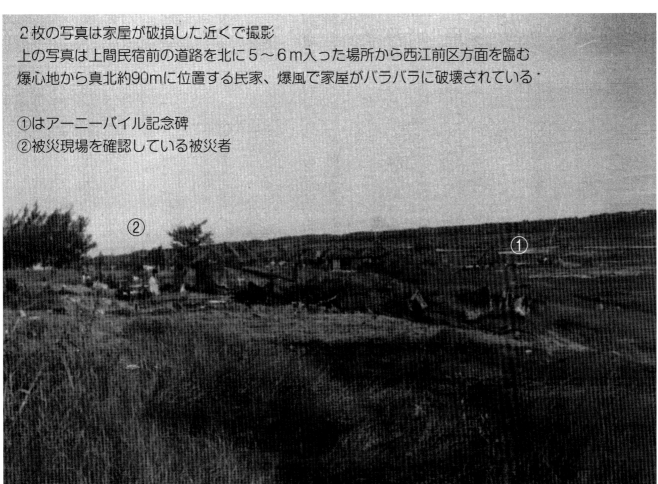

③、④爆弾輸送船LCT1141の破断した一部

爆発後に２隻の連絡船は曳航され、一部水没した浮桟橋に係留されている
連絡船は、乗客下船後沖合200mの夜間停泊錨地に向かう途中爆発が起きて一部破損"✕"マークは破損個所
①前方向きは村の連絡船　②後方向きは米軍連絡船　③浮桟橋

爆心地から真北約320mに吹き飛んだLCT1141の破片

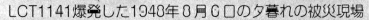

LCT1141爆発した1948年8月6日の夕暮れの被災現場
＊被災現場の西側から東方に向けて撮影、被災者を探し歩いている島民達その多くは海上を見ている
＊夕暮れの中、被災者を探している関係者、手前の砂浜にはLCT1141の破断した破片が多数散乱している
＊後方右手に桟橋に係留された米軍連絡船、左側の砂丘には通信所と見張り台その遠方右側に本部半島の山
　並みが見える
＊3本の仮設アンテナが見える沖合に停泊している米軍艦船との交信用に急遽設置された

LCT1141爆発した1948年8月7日午前の被災現場海上
＊写真手前、大口浜（ウプクチ）静かな波打ち際にはLCT1141の破断した鋼板の大きな破片が多数散乱し
　ている
＊遠方には沖縄本島、左側に本部半島、瀬底島が見える
＊海上沖合には停泊している米軍艦が見える

✕の箇所は爆弾輸送船LCT1141が爆発する前に着岸していた地点を示す
沖合90m船上からのスナップ

※手前のロープ内は爆弾輸送船LCT1141が離着桟橋し爆弾の運出しに接岸していた大口浜（ウプ
　クチ）の海岸
※ロープ右端には砂浜のリーフ上にコンクリート打設した基礎に設置された鋼鉄製の係留ビット
　が見える。被害現場付近見取図（9）にLron Poleと表示している
※後方には沖縄本島、遠方には恩納村万座毛方面が見える

爆弾輸送船LCT1141爆心地から23m付近に横たわる被災した多数の村民の遺体

爆弾輸送船LCT1141の乗組員フランシスコ・カルボの証言で服装からフィリピン人乗組員の遺体
である事が判明
フランシスコ・カルボは船長の依頼で煙草の買い出しに15時頃、メインキャンプに出掛けた為に
難を逃れ、12名の乗組員の内生き残ったただ一人の証言者

1. Jumbo Quonset
2. Position of LCT
3. Aera on Beach Blackened By Explosion

爆弾輸送船LCT1141爆発現場の上空写真　1948年8月12日撮影
1．大型コンセット建物
2．爆発した爆弾輸送船LCT1141の位置
3．爆発に依って真っ黒となった砂浜

爆心地から225〜270m付近で見つかった身元不明の手首
爆発の現場で通訳をしていた父親を亡くしたシュワツ・ジミー氏は自分の父親の手首ではないか？と絶句目を背けた

LCT1141積荷状況
ロケット弾頭5，000個、約125トン

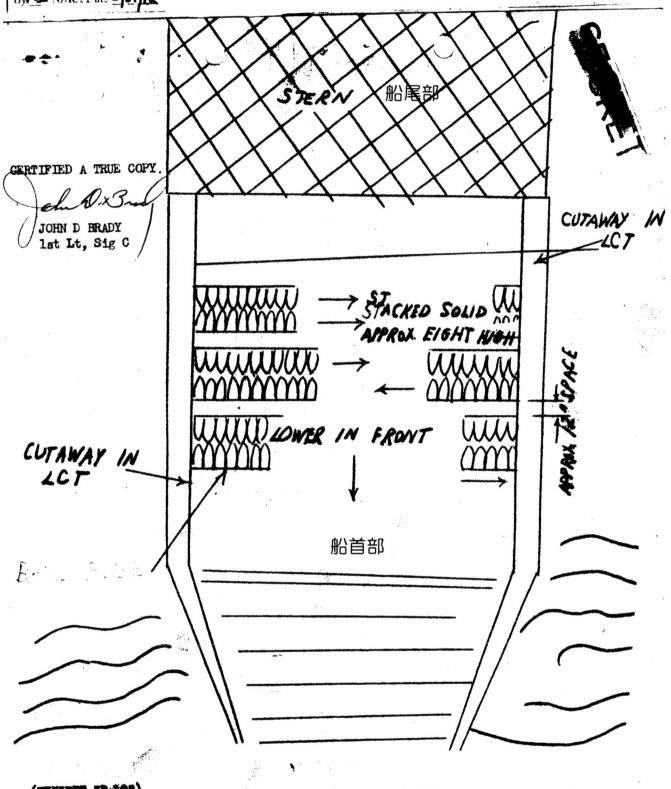

(EXHIBIT "B-10")

LCT 1141 LOADED W/ APPROX. 5000 RDS 5" ROCKET
BODIES. APPROX. 125 TONS.

093

伊江島で爆弾積載して爆発したLCT1141
写真はヨーロッパ戦就役中の風景

LCT（Landing Craft Tank）戦車上陸用舟艇
在沖米国関係者がアーニーパイル慰霊祭参加の為、本部町浜崎に接岸中
後方は瀬底島　1948.04.18

爆発が起る直前の風景、本部町浜崎から入港した連絡船から乗客がト船しくいる処、スケッチを描いた玉城照政さんは、浮桟橋の隣で泳いでいた

爆発が起きた時の風景、崎浜秀雄さん兄弟がタンク舟で沖から戻り、ウニを食べようとした時に突然爆発、浮桟橋の近くで転んでいるのが玉城照政さん、逃げようとしているのが崎浜秀雄さん、タンク舟の傍にいるのは、崎浜秀憲さん、秀良さん兄弟

作：玉城照政

照政さんが爆発後に小高い砂丘に駆け上がった時の風景

作：玉城照政

爆心地から北北東800Mの自宅で爆発音と同時にで真っ黒の煙が空高く立ち上がる状況を庭の木に登り眺めた記憶（当時8才）を川平区の新川隆男さんが描いたスケッチ

作：新川隆男

４．いーじまぐちで語るLCT爆発事件

収録を終えて……聴き手　並　里　弘　安

　私は、いーじまぐちで語るＬＣＴ爆発事件の体験証言のビデオ録画で証言者から聴き手として、また証言者の１人として関わった。ビデオの録画は、いーじまぐちで問いかけて、いーじまぐちで語って貰った。最初の頃聴き手は「やまとぐち」で問い掛けて語る側は「いーじまぐち」であった。しかし、語る方々は問い掛けの「やまとぐち」を一旦自分の頭の中で「いーじまぐち」に変換するまどろっこしい事があって、聞き手も「いーじまぐち」で問い掛け出来る人という事で私が担当する事になった。最初は「いーじまぐち」を話すのに戸惑いもあった。写真家の比嘉豊光さんの助言を受けて何とか収録を終えることが出来た。体験を語る皆様に爆発が起きた時、何処に居て何をしていたのか等順序立てて問いかけて聴いていくうちに当時のことを思い出しながら色々と語って貰った。この証言につては忠実に分かり易くまとめたつもりである。爆発が起きた時の体験を語ってくれた方々には絶大なご協力をいただき深く感謝と御礼を申し上げます。

　この「いーじまぐちで語るＬＣＴ爆発事件」はビデオ記録「しまくとばで語るＬＣＴ爆発証言」から抜粋して「やまとぐち」で要約したものです。ＤＶＤをご覧になられる方に少しでもお役に立てたら幸いと思います。

知　念　シ　ゲ（84才）（西江前区）

　爆発の時、私は当時１１才でマーガ（川平区内にある村民共同井戸）から飲水用に水を汲んで担いで帰る途中、港の見える場所で一時休憩をしていた（そこからは船から降りる人達もはっきり見えた）港の近くには居なかった。水汲みの容器は一斗缶を利用していたので缶と缶に棒を置いて腰掛け替わりにして港の方を眺めていた。

　すると、港の方から黒煙（キノコ雲みたいだった）がモクモクと上がり火の粉が見えた後で大きな音が聞こえた。しばらくすると周辺にパラパラと破片が落ちてきた。びっくりして近くの家に逃げ込んだら、そこに居た人達から『イエー、童子よ、戦争が来るんだから早く家に帰りなさい』と言われ、急いで家に帰ったら母親から、弟二人が大口（ウプグチ）に海水浴に行ったから、安否を確認して来るように言われたので急いで大口に向かった、現場付近の道路には車の車輪やＬＣＴの破片等が散乱していた。弟の登治と登志次は浜から上がって近くの親戚の家に水を飲みに行ってそこで寝込んでしまい無事だったので二人は家に帰した。

　その後、ナーラに住む祖父の玉城長二が孫の良明を探しに来た。私も一緒に港の方へ探しに行った。孫の良明は浜辺でうつ伏せの状態で死んでいるのが見つかった。まだ小学校の１年生だった。

　祖父長二は爆発事件後、長い間嘆き悲しんでいた。良明は祖父長二の長男長良（戦死）の子だったので特に思いが深かったようでした。孫の良明は本部港から帰る母親を迎えに来ていて犠牲になった。私は当日祖父長二の後に付いて現場を見て歩き非常に悲惨だった事を今でも思い出します。

　それから日が暮れた頃、置き去りにした水の事を思い出して担いで家に帰った。

蔵 下 幸 六 (87才) (川平区 当時14才)

　私は、ＬＣＴの爆発の時友人島袋孔克と弟幸盛の３名でタンク舟（飛行機の予備タンクを利用した物）に乗って、島の南側のリーフに潮干狩りに行っての帰り、爆発現場の東側の浜辺に着いた時に爆発が起きた。タンク舟の西側に私と弟、友人は反対側に身を伏せた。上を見上げたら空は真っ赤だった。

　また、破片も飛んでいた。弟と私は頭に傷を負ったが病院には行か無かった。タンク舟は私が座っていた上の部分が破片で切断された。本当に危なかった。その日は何も持たないで急いで家に帰った。翌日になってタンク舟を見に行ったら10メートル程離れた海中に沈んでいた。その後はタンク舟を失くしてしまい暫く潮干狩りには行かなかった。

　死んだ人は沢山いたと思うが思い出せない、知念権三さんは、爆発現場の前方の丘に居たので足に傷を負っていた。その後も長い間足に破片が入っていたのでウミが出たりしていた。

平 良 盛 進 (87才) (川平区 当時14才)

　当時は、西江上区の家（唐小堀：ハラクブ池の西側付近）に居た。

　家の東の方に居たら周辺の木にパラパラと破片が落ちてきた。最初はＬＣＴの爆発とは知らなかった、母親が瀬底に麦の種子を買いに行っていた。島に帰る時刻だったので港へ探しに行った。現場は死人の山だった。（戦争の後だったので悲惨とか怖いとは思わなかった）その中から母親を見つけようとしたが見つけることはできなかった。母親は港近くの平安山旅館に避難して無事だった。瀬底に一緒に行った人達と私は行き違いしていたので母親の安否は知らなかった。現場付近で、爆風によって砂が目に入り泣いていた２人の女の人を見た。また、現場に行く途中（現在のマルイストア付近）でウプグチ（大口）辺りの家が煙を上げ始めていた。

　幸六さんの話では、「後日茅葺の家を解体した時に中から破片が出てきたと言っていた」

　家が燃えなかったのは飛んできた破片が既に冷えていたからだと思う。

儀 間 光 子 (87才) (西江前区 当時14才)

　その日は夏休みだったので私はチャーチヤ（父親）と一緒に本部町へさつま芋売りに行き、その帰りはかつお節を買った。

　本部町の船着き場は浜崎の原っぱで上の方に行くとソテツが茂っていた。当時の連絡船は米軍の「Ｍ」と呼ばれる上陸用舟艇を利用していたので連絡船の事を舟艇」と呼んでいた。

　その日島へ帰ると港には同級生３名（村元千代さん、山城代仁子さん東江春さん）が千代さんの叔父岸本正男さんを迎える為に港に来ていた。岸本さんのところに子供が生まれたので島には来てなかった。

　同級生４人は連絡船の前で談笑していたら爆発が起きて私は意識不明になった。代仁子さんは即死、東江春さんは移送先の病院で死亡した（両手が切れていた）と後で聞いた。私は島の病院へ運ばれてから北谷にある米軍病院に移送されるまで意識は無かった。病院に来て初めて爆発事件の事を知る事ができた。米軍の飛行機で12名程度移送されたと聞いた。病院には伊江島出身の看護婦でニーバン屋（宮城）の光子姉さんが居て治療してくれた。父親が亡くなった事はその時

はまだ知らされていなかった。1週間程入院治療して退院し島に戻ってから父親が爆弾の破片が直撃しその時に死んだ事を知り私は落胆した。

　九死に一生を得た千代さんと私2人は、現在も元気で生きている。

上 間 シ ズ（93才）（川平区　当時20才）

　私は本部町新里から嫁いで伊江島に来た。

　私の家は港から約150m位の所でLCTへの爆弾積み込み場は直ぐ目の前であった。LCTに積載した爆発の時は、豚にビンダレ（洗面器）に入れて餌を与えていた。1日に3回も与えた。豚を多数飼っていた。（場所は現在の上間建雄の住宅のある所）爆弾やLCTの破片が飛んできて住宅も豚小屋も燃えた。豚は全部死んだ。私の足はやけどしていた。その時長男の徹夫は臨月だった。曾祖母はマーガ（井戸）の近くの新川隆男さんの家で誕生祝いがあったのでそこへ行って助かった。私も被災した後、長女の孝子（2歳）を背負って着の身着のままそこへ行った。マーガ付近から港近くの家（一熊ん屋）が燃えているのが見えた。家も焼け近くの親戚の家も焼けてしまい行く所も無く、具志の漁業倉庫で寝泊まりした。

　そこで長男の徹夫は生まれた（旧8月14日）産婆さんも居なかったので自分一人の力で産んだ。

　アメリカー（米人のこと）が持ってきた色々な服が有ったので赤ちゃんをくるんだり、オムツに利用した。アメリカーは「心配するな、心配するな」と言っていた。爆発当時は、夫は嘉手納の水釜へスクラップ取りに行っていて不在、夫の両親も久米島へカズラとケーラニ（ソテツの実）を採りに行って不在だった。夫の妹二人、弟もケガはしたものの幸いにして皆無事だった。

儀 保 藤 子（93才）（川平区　当時20才）

　LCT爆弾爆発がした時は海から上がって家に戻って来たばかりで未だ裸のままだった。家はトタン屋根だったので爆風の揺れで屋根のトタンについたすす等の汚れが顔や床にいっぱい落ちてきた。

　家族6人は一目散に「こんこんガマ」（現在の亀公園の場所）へ逃げた。暫くしてこんこんガマから爆発現場を見たら爆発は治まったので家族揃って家に戻った。履物も無く裸足だったから爆弾の破片を踏んで足の裏は火傷をしていた。足の周辺は水ぶくれができていて1週間位は歩きづらかった。父親も同様に火傷をしていた。家の床にはトタン屋根の汚れが落ちていたのでそれを除去して、ムシロを敷いてそこに寝た。私の家は現場から約400m東側、家の周辺には死人や怪我人は居なかった。爆発当時の事はとても怖かった、もう話したくない。

並 里 弘 安（76才）（川平区　当時3才4ヶ月）

　LCT爆発した1948年8月6日、私は3才と4か月位です。家は現在の民宿「みなみ」の場所にあった。多くのことは覚えていませんが一コマ程度は覚えている。

　その日私は姉妹と爆発現場の東側の浜辺で海水浴を終えて家に帰り母親と一緒に昼寝をしていた。突然大きな音で跳ね起こされた。母親は「ま

たん戦ぬ来た」と声を上げながら家の北側に飛び出して暫く様子を見ていた。城山に向かっていた。妹は母の背中に私と姉は両方に立ち母を掴んでいた。その時ヒュー、ヒューと音を立てながら橙色の破片が北の方へ飛んでいくのが見えた。花火の様だった。暫くしてから桑の木やゆうなの木の下を通り近くの暗渠へ逃げた。途中で近所の「マガばーち」と出会い「アリ、マーガ」又も逃げないといけないようと言いながら一緒に暗渠へと逃げた。そして暗渠の中へ隠れた。子供たちは窮屈でなかったが大人たちは窮屈だったんでしょう、暗渠から出て砂の斜面を這い登り戦争中に避難していた場所「こんこんガマ」へ連れて行かれた。ガマの中には入らなかった。夕方になり義兄の忠作兄が頭に白い包帯を巻いて「こんこんガマ」へ来たのをはっきりと覚えている。家は茅葺だったので全焼した、周辺では2～3軒ほど焼けた全体では8軒焼けた。家が焼失する前に「ケー」と呼んでいた着物や大切な物を収納する長方形の木箱を知人が家の外へ運び出していて難を免れたことだった。その「ケー」は後々まで大切に使った。その当時、父親は伊平屋沖へトビウオ漁に出ていた島の黒煙を見て急いで帰港した。忠作兄とあと一人は漁網に血染めをする為に島に残り見張り台の近くで作業中に被災した。

　＊こんこんガマ・・・戦争中に避難していた海岸線の自然洞窟今の「亀公園」

伊江島米軍爆弾集積場で火災と爆発を語る
東 江 幸 雄（90才）（東江前区　当時17才）

　1948年6月13日に伊江島米軍爆弾集積場で火災と爆発が起きた時、ＣＰ（民間警備員）として働いていた。
　私達は、爆弾集積場の周辺を毎日朝1回、午後1回徒歩で巡回していた。1回廻るのに約4時間掛った。火災が起きたのは午後であった。私が現場に駆け付けた時は未だ弾薬の所迄は来ていなかった。周囲の草をナイフで切ったりしたが火を消す事は出来なかった。当時は水も少なく消防車も無かった。消火作業にどれだけの村民が参加したのかはよく覚えていない。渡久地政郁さんは警察との連絡員だった。私は毎日徒歩で東江前の家から集積場まで通っていた。小銃弾を入れる三角布があった、その布で着物を作れたので当時は貴重だった。小銃弾があっちこっちに散乱している時はその袋だけ盗難にあったようであった。私は弾薬が爆発したことも、避難させられたことも全く覚えていない友寄久男さんは南側の浜辺に避難させられた記憶があるそうです。

伊江島米軍爆弾集積場で火災と爆発を語る
友 寄 久 男（89才）（東江前区　当時16才）

　伊江島米軍爆弾集積場で火災と爆発を語る、向こうはアハシャ原ではなくシャーギシと言った。避難したことは良く覚えているが爆発の事は余り分からない。避難した場所は阿良の浜辺で殆どの人たちが避難をした。一晩だけだった。
　爆発後の爆弾を集める作業には従事した。作業人夫は村から要請が出された。自分は木の箱（板）が欲しくて作業に出た。家の床板に利用出来たから沢山家に持ち帰った。（戦果？）作業中に友寄貞雄が「瞬発信管」をいたずらして爆発させたため一時は取り調べもされた。私は又、ＬＣＴ爆弾積込海中投棄の作業にも従事した。爆発のあった8月6日は、午前中ロケット弾頭を一人一人手渡しの作業でＬＣＴに積み込んだ。このＬＣＴ1141が座礁して出港出来なかったから、午後から前日に積み込み作業した別のＬＣＴ1123に乗り午後に出港し沖の方で海中投棄し

た。海中投棄作業は、片方の玄門からローラーに乗せ滑らせて投棄した。ＬＣＴ内での仕事も暑くて大変だった、熱中症になる作業員も居た。その中に阿良の棚原正幸も居た。

　私の乗ったＬＣＴ1123が海中投棄を終えて島へ帰る途中に島の異変に気づいた。島に着くまであの様な大惨事とはその時は知らなかったが本船が到着して初めて午前中にロケット弾頭を積み込んだＬＣＴ1141の爆発である事を知って驚いた。現場では大勢の人が動き回っていた、又、死体も沢山あった。

　友寄勝一は、自分の息子の毅が作業員として働いていたので毅の安否を確認する為ＬＣＴ1123が浜辺に着く前に首まで海につかり懸命に確認を急ぐ親もいた。探し回ったが息子の毅は海上投棄の為に沖に出ていた船（ＬＣＴ1123）に乗っていて助かっていて安堵した。

友　寄　　安（90才）（阿良区　当時17才）

　その日は、父親が関節炎のため入院していたので妹の富子と一緒に病院（現在の福祉センターの辺り）へ水を汲んで持って行った。妹は叔父さんと一緒に家に帰した。

　友達が本部浦崎から来るので迎える為に港へ向かっていたがその友達は船に乗り遅れて島には来ないと知人から聞かされたので病院へ引き返した。その時通訳をしていた西江上の内間栄一郎がジープに乗って「イエー安子」と言いながら手を振って港の方へ行くのを見た。数分後に爆発が起きた。場所は今のマルイストアの辺りだった。波止場を背にして反対方向に向けて歩いていたので肩や背中に細かい破片を受け、又左足に傷を負った。スカートも焼けた。一時は近くの低地に隠れていたが知人の叔父さんに病院へ連れて行かれた。スカートも焼け足も火傷をしていたので怖かったのと人目が気になり恥ずかしかった。病院で手当をしてもらったが火傷は長い間治癒しなかった。病院の渡慶次先生は顔見知りであった。火傷した左足を爆弾足と言っていた。70年余も立つが未だかつて雷のイナズマが起こると爆弾事件を思い出し怖くなる。

沖縄戦当時の体験を語る
亀　里　富　子（79才）（川平区　当時3才）

　戦争中避難していた壕の中で私（3才）が、砂糖を食べたい、食べ物が欲しいと言って泣いたから、私の母は子供を泣かすと敵に見つかるからあんたの家族は壕から出ていけと言われた。出ていかなければ子供を殺すとも言われた。口にハンカチを突っ込む準備までされたと聞く。

　母親は驚いて子供を生かすために逃げ回っているのに、そんなことでは一緒には居られないと言ってその壕から出た。

　壕から出た母親と私2人は当分の間木の下で過ごした。その後家族と合流して何処かに避難した。自分たちが出た翌日にその壕は米軍の攻撃を受け多数の犠牲者が出たようだ。私を殺そうとした人はその時死んだと聞く。戦時中は自分達だけ生きれば良いと思う人が多かった。富子さんが泣いたお陰で親子は助かった。

　爆弾事件のあった日、私が病院から家に帰る途中マーガで頭から足まで黒くなった男の人達を見た。

５．平和劇「時をこえ 伝えよう」伊江村立西小学校６年生

平和劇「時をこえ 伝えよう」
ＬＣＴ爆発事件を劇化にするにあたって

　伊江村立西小学校６年生は、総合的な学習の時間に「平和について考えよう」という授業が10時間程度あり、「生命や平和のありがたさを学ぶ」ことがねらいである。

　まず６年生の平和学習は、６月23日の慰霊の日にちなんで伊江島にある「わびあいの里平和資料館」の見学と講話からスタートした。今から76年前（2021年現在）の戦争で、伊江島の戦いは６日間というとても短い期間でありながら、想像を絶する大きな被害をもたらした。また戦後の伊江島は、アメリカ軍に占領され、終戦２年間も住民が伊江島に戻ることが出来なくなっていたことを知った。９月には身近な伊江島の戦跡巡りをし、島のいたる所に激しい戦争の傷跡があったことを改めて知り、平和になるべき戦後３年後の1948年８月６日、ＬＣＴ爆発事件によって伊江島が再び悲惨なめにあったことを学び、さらに詳しく知りたいと思い体験者の話を聞くことにした。慰霊碑やパンフレットからは到底知りえない生々しい当時の事件現場を知ることによって、子供たちだけでなく教師たちも衝撃を受け、この事件を学ぶだけではなく、たくさんの人に伝えたいという気持ちになった。シナリオは６年生担任の與那城大樹先生、大嶺綾沙先生と玉城睦子教頭で作成し、臨場感を出すための当時の映像や写真は長嶺福信さんに提供してもらった。主な内容としてシナリオに取り上げたのは講話を聞いた中から２つにしぼった。

　１つ目は手首をもぎ取られ手首のない状態で戻ってきたお父さんの話をした主和津・ジミーさんの体験（その手首はのちに米軍提供の写真で見た）。２つ目はＬＣＴ爆発を実際に見て、旧西江前公民館に非常事態を知らせるために大口（ウプグチ）の浜から大急ぎで走り鐘を打ち鳴らし近隣の人々に大惨事を告げ、翌日はＬＣＴ船上で洗濯をしていた被害女性の遺体を海の底から引き上げた大城賢雄さんの体験にした。配役は子供たちの自主性を重視し自分のやりたい役をあてた。その中で印象的なことは、大城賢雄役をひ孫の大城瑛夏さんが立候補し見事大役をつとめあげたことである。

プロローグは「時をこえ」の音楽に合わせて６年生全員で登場し、「皆さんはＬＣＴ爆発事件を知っていますか？」と観客に対して問いかけたが、それは６年生と教師自身への自問自答でもあった。エピローグは、６年生自身がこのＬＣＴ爆発事件の劇を通して感じてきたことを未来に向けて伝えたいメッセージでもあり自分自身に向けた言葉でもある。

劇を盛り上げるための大道具は、宮城尊忠さん（尊仁祖父）や６年生保護者にも協力してもらい、６年生と一緒にカヤぶき屋などを作り上げていくプロセスは大変貴重な体験となった。

　今回の記念誌発刊に際して、伊江村立西小学校62期生６年生が演じたＬＣＴ爆発事件の事実が記録として残り、６年生と教師を含めて人々の心の中に記憶として刻まれていくことを願っている。また劇を演じた６年生と教師たちも今後、いついつまでも「時をこえ伝えていきたい！ＬＣＴ爆発事件」のことを！

　最後に、このＬＣＴ爆発事件の劇化をするにあたり支えてくださった多くの皆様に、この場をおかりし感謝申し上げます。また、ＬＣＴ爆発事件で犠牲になられた方々のご冥福をお祈りいたします。

玉城　睦子

平和劇「時をこえ　伝えよう」
～ 1948・8・6 ＬＣＴ爆発事件のことを ～

【プロローグ・開幕の章】

〈前奏　25s〉　「時をこえ」　曲に合わせて全員ひな壇に入場
　♪全員で合唱「時をこえ」
　　　　　　　　　♪昔の話を聞いたのさ　自由な恋すら許されず
　　　　　　　　　♪おばあーは泣く泣く嫁いだよ　あの人に別れも告げぬまま

（瑛夏）　　皆さんはＬＣＴ爆発事件を知っていますか？
（夏美）　　沖縄戦が終わって3年後　1948年8月6日のことを・・・
（平羽琉）2年ぶりに焼け野原の伊江島にもどった住民は
（留音）　　畑を耕し、いもを植え、かやぶきやを作り
（なるみ）やっと落ちついてきた　暑い夏の日のことであった
　　　　　　　　♪昔の話を聞いたのさ　火の粉が雨のように降る
　　　　　　　　♪おばあーはとにかく走ったよ　あの人の命を気にかけて
　　　　　　　　♪まがる腰　細い足　おばあーの生きてきた証
　　　　　　　　♪その笑顔　その言葉　変わらぬものもある・・・
　　　　　　　　♪胸に刻みなさい　あなたのその鼓動
　　　　　　　　♪昔　昔につながる　この命　大切に生きなさい

【第1章】－伊江村内戦跡巡り－
（舞台正面・ＬＣＴ慰霊碑）（ＬＣＴ慰霊碑の前で）

子供Ａ（留　音）この慰霊碑　何ねえ？
子供Ｂ（倫太郎）書いてあるサー、ＬＣＴ慰霊碑って
子供Ａ（留　音）書いてあるのはわかるけど、ＬＣＴって何ー
子供Ｃ（波　音）アメ！読めばわかるさー
教　師（桃　菜）上陸用舟艇（しゅうてい）のことだなあ。戦車などを移動させる船のことだよ
子供Ｄ（心　奈）（読み上げる）1948年（昭和23年）、8月6日、午後5時頃、爆弾を満載し
　　　　　　　た米軍弾薬処理船ＬＣＴが伊江港で突然爆発、運悪く連絡船の入港の時間とか
　　　　　　　ち合ったため、一瞬のうちに107名が犠牲になり、76名が負傷しました。って
　　　　　　　書いてあるよ。また、住宅8軒・全部焼けたってよー
子供Ｅ（心　海）8月6日っていったら、広島に原爆が落とされた日じゃない？
教　師（桃　菜）広島に原爆が落とされた日は、戦争が終わった1945年の8月6日
　　　　　　　このＬＣＴ爆発事件は、戦争が終わって3年後の8月6日のことだよ
子供Ｂ（倫太郎）なんで、戦争が終わった3年後にこんな大きな爆発が起きるんですか？
子供Ｃ（波　音）戦争が終わっても、この伊江島には爆弾があったの？
子供Ｄ（心　奈）どうして、こんなことが起きたんだろうねえ？
教　師（桃　菜）それじゃあ、調べてみようか

子供E（心　海）みんなで、調べてみよう
子供達（口々に）そうだね。調べてみよう
　　　　　　　　そうしよう

【第2章】　沖縄戦・伊江島戦の事実
（映像・ナレーション中心）

（りあら）　　沖縄戦は1945年4月1日、沖縄本島の読谷からアメリカ軍は上陸し、始まった
　　　　　　と思っていました。しかし、その前に3月26日に阿嘉島・慶留間島、渡嘉敷島に
　　　　　　上陸し、沖縄戦がスタートしたことを初めて知りました。アメリカ軍は4月1日
　　　　　　までに阿嘉島・慶留間島・渡嘉敷島を占領し、その後、本島に上陸し、沖縄本島
　　　　　　での戦いが始まりました。
　　　　　　　この伊江島には4月16日に米軍が西崎の浜から上陸し、城山に拠点を置く日本
　　　　　　軍、防衛隊と住民を巻き込んだ激しい戦闘が展開され、18日には従軍記者の
　　　　　　アーニーパイルが撃たれ、21日には島が完全に制圧されました。
（愛　琉）　　伊江島戦では、住民約1500人、守備軍将兵約2000人が戦死し、激しい戦闘の
　　　　　　中、生き残った住民は伊江島から慶留間島に400人、渡嘉敷島に1700人強制的
　　　　　　に移動させられました。読谷の前に阿嘉島や渡嘉敷島を占領したのは、伊江島の
　　　　　　住民を強制的に移動させるためだったのです。
　　　　　　　占領された伊江島には、住民はいないものだと思われていましたが、ニーバンガ
　　　　　　ズィマルに2人、イッテヤーヤに2人の合計4人が伊江島戦の終結を知らないま
　　　　　　ま、2年間、住んでいました。4人以外、住民のいなくなった伊江島は、アメリ
　　　　　　カ軍によって基地化していきました。
【写真の説明】
（琉　人）　　この写真は沖縄戦が始まる前にアメリカ軍が偵察で撮った写真です。飛行場だけ
　　　　　　がきれいに整備されています。
　　　　　　　次の写真は伊江島戦が終わって1年後の写真です。白いところは飛行場や道路と
　　　　　　して整備されたところです。アハシャバルのところは爆弾保管場所として使われ
　　　　　　ています。このように伊江島はアメリカ軍に占領され、本土を攻撃するために飛
　　　　　　行場や爆弾の保管場所としてどんどん変わっていきました。

【第3章】　戦争が終わったが・・・（映像）劇

（大　惺）　　住民が伊江島に帰ってきたのは敗戦の2年後の1947年3月。戻ってきた住民は
　　　　　　故郷をもと通りにするために家を建てたり、荒れ地を耕し、畑に芋などを植え、
　　　　　　協力し合って生活していました。一方で、アハシャバルにはまだクラスター爆弾
　　　　　　や250キロ爆弾など約11万5000トンもの未使用の爆弾が野原に積まれ保管さ
　　　　　　れていました。
（倫太郎）　　また、アメリカと台湾の間で、「中国に対する余剰資産一括売却に関する協定」
　　　　　　が結ばれ、戦争が終わって使い道のなくなった爆弾は二束三文で売られ、中国の
　　　　　　内戦に使われました。その頃、伊江島では1948年6月13日、アハシャバルの爆
　　　　　　弾保管場所で爆発炎上による火災が発生し、3日間燃え続けた後、雨が降ったこ
　　　　　　とにより鎮火しました。
【写真の説明】

（柑　奈）　　鎮火後の写真です。「この軍人を見てください」ここはもともと崖になっている
　　　　　　わけではありません。火災によってたくさんの爆弾が爆発し、大きな穴が開いて
　　　　　　います。このように、もともとの地面と比べると爆発のすさまじさが分かりま
　　　　　　す。

（涼　士）　　その後、爆弾保管場所を管理するアメリカ軍は２つに分かれ、フィリピン人が多
　　　　　　い部隊に任されたが、沖縄の人とコミュニケーションが取れないため、安全に爆
　　　　　　弾を保管できない状況になりました。火災で残った約５万トンの爆弾は伊江島で
　　　　　　の保管の危険性から運び出したいが、台湾との協定が切れたために残波岬近くの
　　　　　　海で捨てることになりました。
　　　　　　　大量にある爆弾を運ぶには軍人だけで人手が足りず、島の青年や女性など一般人
　　　　　　も加わって爆弾を米軍爆弾処理ＬＣＴに運ぶこととなりました。

【第４章】　　ＬＣＴ爆発事件当日　（伊江港）
（やっと仕上がったかやぶきの家）

　　※　リヤカーで爆弾を運んでいる島の男性と米兵
米兵Ａ（芳　久）　　ハーリーアップ！　ハーリーアップ！
島人Ａ（平羽琉）　　重たいんだよー！
米兵Ｂ（比羽琉）　　ハヤク　ハタラケ！　ハヤク！　ナマケルナ！
島人Ｂ（佑　月）　　なまけてない！　25kgもあるんだよー！
島人Ｃ（尊　仁）　　アメリカー　おまえ　持ってみー！
米兵Ｂ（比羽琉）　　ヘイ！ヘイ！　カンタン！　カンタン！（爆弾を軽く扱う）
島人達３人　　　　　えー！落としたら爆発するよー！　もっと大事にあつかえ！
　　　　　　　　　　デージ　ウトゥルーシャエ
　　　　　　　　　　危ないなあー
　　※リヤカーに爆弾を積み、しゃべりながら退場
ナレーション：（愛琉）当時、大城賢雄さんは魚や貝を採ることが上手で、ブランニャという貝
　　　　　　　　を採り、米兵のタバコと交換し、そのタバコをお父さんにあげると大変喜ばれま
　　　　　　　　した。
　　　　　　　　また、ＬＣＴの船には、米兵だけでなく島の男性は荷物を運んだり女性は洗たくな
　　　　　　　　どをして働いていました。
賢　雄（瑛夏）オート、ブランニャ取ッティフーイー（とってこようねー）
オート（真捺）気ー、スィキティ　イジ　フーヨー（気をつけて行っておいで）
賢　雄（瑛夏）ブランニャ取ッティ、タバクトゥ交換シー、オートンカイ、キーユン
　　　　　　　（貝をとってたばこと交換して、お父さんを喜ばせよう）
　　※　ＬＣＴ船上
賢　雄（瑛夏）　ダー、ジョンや。どこに行ったか？ブランニャガンディ（たくさん）
　　　　　　　取ってきたよー
女性Ａ（希天）アギジャビヨー。こんな大きいマーサギーサル（美味しそうな）ブランニャ
　　　　　　　だこと。ジョンはいいから、私たちににちょうだいよ
賢　雄（瑛夏）ンーバーネ。（いやだよ）タバクトゥ　交換するから
女性Ｂ（夏美）今日、ジョンは、別の船で爆弾を運ぶためにさっき出ていったから、帰ってきた
　　　　　　　ら交換したらいいよ
賢　雄（瑛夏）アンセー、アトゥーラヤー

※賢雄はひな壇を降りる。
　※ＬＣＴ大爆発（音、光）
　※賢雄、倒れる
　※賢雄さん、立ち上がり港に戻り、大惨事になっていることに驚く。
　賢　雄（瑛夏）トー、デージナタン。ワンが知らせないと！！
　※客席の間を走り、体育館ギャラリーの鐘を打ち鳴らす
　※舞台側で村人が大騒ぎ
村人Ａ（柑　奈）ヌーガ、ヌーガ、今の鐘はなんねえ？
村人Ｂ（涼　士）マタン、戦争ヌ　チャン。デージナタン。デージナタン
村人Ｃ（桂　大）アニヤアラン！アニヤアランドー！アメリカーヌ　フニ（船）ヌ、ＬＣＴが
　　　　　　　　爆発シャンディ。デージナタンドー
村人Ｄ（大惺）　マーミンヤのかやぶきが燃えている。せっかくみんなで仕上げたのに‥
村人Ａ（柑奈）　イチャショウーヤー。どうしたらいいかねー
賢　雄（瑛夏）　ワンヤ、同級生、タスィキティ　フンナレー
ナレーション　賢雄さんは、ＬＣＴに乗っていた人たちを海の底から引き上げるために、
　（波音）　翌日、ロープを持って大口の海に行き、海に沈んでいる人たちの足にロープ
　　　　　　をしばり、同級生を含めて３人の人たちを引き上げました
　　※　幸地達夫（主和津・ジミーさん）走ってくる
達　夫（天　夢）オート！どこにいるー！　オート！ワカラニー？
村人Ｂ（琉　人）ワカランヨー（首を横にふる）
達　夫（天　夢）オート！どこにいるー！　オート！
村人Ｄ（大　惺）　※リヤカーに達夫のお父さんをのせている
達夫母（なるみ）たっちゃん、オートが、オートがこんな姿になった
達　夫（天　夢）オートの手がない。オートの足がない
　　　　　　　　オートの手はどこ？ オートの足はどこいったー？
　※幸地達夫（ジミーさん）家族退場
（桃　菜）　このＬＣＴ爆発事件は、「波止場事件」とも言われています。住民は戦禍にまきこ
　　　　　まれ、厳しい環境を生き抜いて、２年ぶりに伊江島に戻ってきた矢先、戦争の残
　　　　　り物である爆弾で犠牲となりました。家族を亡くした遺族には、わずかな見舞金
　　　　　が支払われただけでした
（美乃里）　また、遺族の方々が「他人には語れない、話せば苦しい、二度と思い出したくな
　　　　　い」という思いを内に秘め、関係者も多くを語ろうとはしませんでした
（芳　久）　そして、「今、声に出さないといつか忘れ去られてしまわないだろうか」という
　　　　　遺族の方の思いで、1967年にＬＣＴ爆発事件で犠牲になった方々の慰霊碑が建て
　　　　　られました。更に村の計らいで伊江港内の現在の位置に新しい慰霊碑が平成13年
　　　　　に建てられ、今では、毎年8月6日には、私達伊江村でもＬＣＴ爆発事件慰霊祭が
　　　　　行われています

【第5章】
【エピローグ・終幕の章】

♪全員で合唱「時をこえ」
　　　　♪昔の話を聞いたのさ　自由な恋すら許されず
　　　　♪おばあーは泣く泣く嫁いだよ　あの人に別れも告げぬまま

（心　海）　青い海に囲まれた私達の伊江島

（りあら）　あの海の青さが　一瞬で真っ黒になったあの夏の日のことを

（真　捺）　私たちは　忘れない

（希　天）　おばあが涙を流してはなしてくれたことを

（心　奈）　私たちは　伝えていく

　　　　　　　　　♪昔の話を聞いたのさ　火の粉が雨のように降る

　　　　　　　　　♪おばあーはとにかく走ったよ　あの人の命を気にかけて

　　　　　　　　　♪まがる腰　細い足　おばあーの生きてきた証

　　　　　　　　　♪その笑顔　その言葉　変わらぬものもある

　　　　　　　　　♪胸に刻みなさい　あなたのその鼓動

　　　　　　　　　♪昔　昔につながる　この命　大切に生きなさい

（尊　仁）　勇気を出して話してくれたおじい

（天　夢）　真っ白だった砂浜が、真っ黒の遺体でうめつくされたＬＣＴ爆発事件は人間が
　　　　　　引き起こした最悪の行為であり、戦争の落とし子だとおじいは言った

（佑　月）　私たちは伝えていく　おじいの心の叫びを

（比羽琉）　二度と戦（いくさ）は　してはならないと

　　　　　　　　　♪昔の話を聞いたのさ　１４の頃から働いて

　　　　　　　　　♪家族と別れて一人きり　涙は流せぬ生きるため

　　　　　　　　　♪その時代を物語る　おじいの話を聞いたのさ

　　　　　　　　　♪しわくちゃな顔さえも　誇らしかったんだ

　　　　　　　　　♪そっとほほつたう　温かい涙を　見て思ったよ

　　　　　　　　　♪誰かに伝えなきゃ　僕らが伝えなきゃ

　　　　　　　　　♪「家族のことを一番に」昔の人は言いました

　　　　　　　　　♪「命どぅ宝」の言葉こそ　忘れちゃいけないもの

　　　　　　　　　♪今日もまたひとつ　過ぎ去られる記憶

　　　　　　　　　♪だから僕たちは　この歌にのせてさあ　届けなきゃあなたへ

　　　　　　　　　♪昔の話を聞いたのさ　笑うおばあーのその横で

　　　　　　　　　♪輝くおじいーのその涙　かけがえのないもの見つけたよ

　〈間奏　1分〉

（倫太郎）　重い口を開き、私たちに平和の種をまいてくれたおじいやおばあの思い

（1章チーム）　私たちが受け継ぎ　伝えていこう

（村人チーム）　平和につながる　笑顔の花を咲かせるために

（米軍、島人）　おじい　おばあが言った大切な言葉

　　（全員）　「いくさヤ　ならんどー」

　　（全員）　「ぬちどぅ　宝どー」

　　（天夢）　を今度は、私たちが伝えていきます

（村人男子）　みんなの歌声が響き　島の踊りが踊れ

（天夢　琉人）　パーランクや太鼓の音が響く　私達の伊江島

　　（全員）　そんな平和な毎日が　いつまでも続くように

　　（全員）　みんなの笑顔の花が　満開に咲くように

　　（全員）　時をこえ　伝えていきます　わたしたちが

◇伊江村内戦跡巡り　2019年9月24日

ガイド：大城凡子さん

アーニーパイル記念碑
ガイドの凡子さん

ニャティヤ洞
戦時中に多くの村民が避難した
別名千人ガマとも言う

土地を守る会団結道場
米軍演習地の為強制立ち退き土地接収反対の
闘いの為たてられた

ニーバンガズィマール
終戦後約２ヶ年間木の上に２人の兵隊が
隠れて生活していたニーバンガズィマール

公益質屋跡（村営の金融機関）
1929年に建設米軍の攻撃を受けて
かろうじて原形をとどめる

ＬＣＴ被爆慰霊碑前で
ＬＣＴ爆発事件の話を聞く

ＬＣＴ爆発事件の講話

長嶺福信さん　2019年10月10日

長嶺さんの話を真剣に聞き
メモをとる児童

長嶺さんと6年生達

ＬＣＴ爆発事件を語る　大城賢雄さん
2019年10月21日

ＬＣＴが爆発した日のことを生々と
話してくれた賢雄さん

大城賢雄さんと6年生達

ＬＣＴ爆発事件の講話

主和津・ジミー（幸地達夫）さん
2019 年 10 月 25 日

ＬＣＴ爆発事件でお父さんを亡くし
腕がもぎとられた話を聞かせてくれた

主和津・ジミーさんと６年生達

ＬＣＴ爆発事件を語る知念シゲさん
2019 年 11 月 4 日

身ぶり手ぶりをまじえながら当時のことを
熱く語る知念シゲさん

講話を終えて、「あんたはどこの子ねぇ」と
６年生と交流する知念シゲさん

◇沖縄戦学習（修学旅行）　2019年11月7〜8日

平和祈念公園

平和の礎で親戚の刻銘を写しとっている

◇ＬＣＴ爆発事件の劇（準備・練習）2019年11/13〜

宮城尊忠さん（尊仁の祖父）の手ほどきで
カヤぶき屋を作っている６年生

電気ドリルを初めて使い、カヤぶき屋を
支える柱を作っている

仕上げは、カヤぶき屋の飛び出た
カヤを切って整える

本番に備え、児童の打ち合わせ

◇ＬＣＴ爆発事件の劇（準備・練習風景）

その1

舞台上にカヤを運んでいる

真剣にカヤぶき屋を完成させていく

友達と協力して大道具作り

カヤぶき屋が焼けた時の工夫を試行錯誤
（最初は黒いゴミ袋）

カヤぶき屋の壁を協力して貼り付けている

赤いビニール袋を裂いたら
炎の感じが出るのでは・・・と創意工夫

◇ＬＣＴ爆発事件の劇（準備・練習風景）

その2

火の様子がだんだんイメージできてきた

6年生の保護者も応援にかけつけ
カヤぶき屋を制作

リヤカーをどのように作ったらよいか思考中

工夫して作ったリヤカーを使って
セリフと合わせてみる

パート練習中の一コマ
綾沙先生の指導の下大きな声を出す為に
体育館玄関で練習のシーン

プロローグ（開幕の章）
「時をこえ」の歌を全員で歌う
♪昔の話を聞いたのさ～♪

◇ＬＣＴ爆発事件の劇（準備・練習風景）

その3

ＬＣＴの船上で洗濯をしていた女性と
話している大城賢雄さん

ＬＣＴが爆発した瞬間、カヤぶき屋も
火事になった

「オート、オート（父）わからに・・・」
とジミー(達夫)はお父さんを探している

ケガをした人を見つけてかけ寄り
オート（父）ではないかと確認

炎を揺らし、裏方役で頑張っている

児童に全体指導をしている大樹先生

◇ＬＣＴ爆発事件の劇（本番）2019年12月1日

その1

プロローグ（開幕の章）一人一人が凛とした立ち姿で全員合唱
「時をこえ」の歌で観客をＬＣＴ爆発事件へと誘う

ＬＣＴ慰霊碑 「ＬＣＴ爆発事件ってなんねぇ」

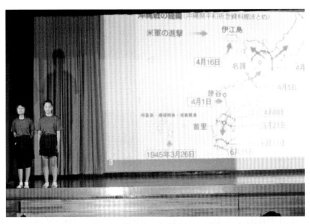

沖縄戦・伊江島戦の進撃の様子を説明

伊江島の激戦後の様子を映像と合わせて説明

大量の爆弾運搬に軍人だけでは手が足りず
島の青年たちも運んだ

◇LCT爆発事件の劇 （本番） 2019年12月1日

その2

洗濯している知人の女性に声を掛ける賢雄

爆発音と共に船体も人も吹っ飛ぶシーン

非常事態を知らせる鐘を打ち鳴らすため、
大口から西江前公民館まで坂道を走る賢雄

体育館ギャラリーを西江前公民館と見立て、
曾祖父（賢雄）役の瑛夏さん

村人はまた戦争が始まったのでは？
と大騒ぎになった

ケガをした村人の中からオート（父）を
探す達夫（ジミー）

◇ＬＣＴ爆発事件の劇（本番）2019年12月1日

その3

エピローグ（終幕）ＬＣＴ爆発事件のことを（調べ）演じ終え
堂々と「時をこえ」を歌いあげる6年生

ＬＣＴ爆発事件の体験者や劇の大道具を制作してくれた方々と6年生
5列：與那城大樹先生　並里愛琉　仲舛桂大　藤本凉士　知念夏美　古田なるみ　山城真捺　宮城康人校長
4列：玉城睦子教頭　長嶺福信　平良羽琉　島袋心海　又吉芳久　内間大惺　島袋桃菜　大嶺綾沙先生
3列：島袋和幸　儀間光子　與那城心奈　髙嶺りあら　内間柑奈　志良堂倫太郎　松永琉人　知念波音　山口賢一
2列：知念シゲ　照屋希天　知念留音　比嘉羽琉　島袋佑月　棚原天夢　大城瑛夏　宮城尊仁　宮城尊忠　玉元昭徳
1列：玉元千枝　大城賢雄　玉元昭仁　主和津ジミー　島袋清徳　上間シズ　喜屋武貞子

◇ＬＣＴ爆発事件の劇を終えて

主和津・ジミーさんを囲んで話を聞く6年生

劇を終えて感極まり達夫役の天夢さんをハグする主和津・ジミーさん

主和津・ジミーさんの話を真剣に聞く6年生

6. 伊江島の記録と記憶PartⅡシンポジウム

パレット市民劇場（パレット久茂地9階）
11月7日（土）13時〜16時

伊江島に降りた白いハト・緑十字機及び伊江島ＬＣＴ爆発事件の記録と記憶の継承

総合司会進行：比嘉豊光 氏　　アシスタント：長嶺福信 氏
司　　　　会：上間かな恵 氏

12：30　開　場

13：00　ビデオ上映　平和劇「時をこえ 伝えよう」伊江村立西小学校6年生

13：35　伊江島の記録と記憶PartⅡについて　比嘉豊光 氏

13：45　伊江島に降りた白いハト・緑十字機
　　　　爆弾集積場の火災・爆発及びＬＣＴ爆発事件の概要紹介

13：55　パネリストの紹介

14：00　「伊江島の戦中・戦後体験記録」の編集長として伊江島に降りた緑十字機とＬＣＴ爆
　　　　発事件を語る（沖縄国際大学名誉教授　石原昌家 氏）

14：15　ＬＣＴ爆発事件体験者としてその後被災者の援護等語る
　　　　（伊江村元村長 島袋清徳 氏）

14：30　爆弾集積場の火災・爆発及びＬＣＴ爆発事件の取材を語る
　　　　（沖縄タイムス社記者・沖縄大学特別研究員　謝花直美氏）

14：40　ＬＣＴ爆発事件の遺族・体験者の証言聞取り記録と継承を語る
　　　　（伊江島米軍ＬＣＴ爆発事件8・6の会会長　島袋和幸 氏）

14：50　伊江島に降りた白いハト・緑十字機を語る
　　　　（伊江島緑十字機語る会会長　渡久地政雄 氏）

15：00　　休　　憩（15分）

15：15　　討論及び質疑応答

16：00　　終　　了

「沖縄アジア国際平和芸術祭2020」
伊江島の記録と記憶PartⅡ
伊江島LCT爆発事件・緑十字機写真展のシンポジウム

【司会：上間かな恵氏】
佐喜間美術館学芸員

シンポジウム開会の案内

こんにちは、これより開催させて頂きます。

「沖縄アジア国際平和芸術祭2020」伊江島の記録と記憶PartⅡ「伊江島米軍ＬＣＴ爆発事件」及び「伊江島に降りた白いハト・緑十字機」の記録と記憶の継承のシンポジウムです。総合司会の比嘉豊光さんと共に司会を担当つとめさせて頂きます上間かな恵です。宜しくお願い致します。私は現在佐喜間美術館に勤務しています。私の母幹子が伊江島出身で戦争を体験しＬＣＴ爆発事件当時も伊江島にいましてその当事者の一人です。

母は1974年に雑誌「青い海」に伊江島についての手記を書いています。母の書いた手記は資料として市民ギャラリーに展示しています。今日のシンポジウムの流れですが、６名のパネリストに登壇頂いています。それぞれについて御担当専門の立場からお話しして頂きます。その前に、去年2019年12月１日に伊江村立西小学校で６年生が学習発表会で「時をこえ　伝えよう」の平和劇をしました。ＬＣＴ爆発事件の事は沖縄でもなかなか伝わっていませんけれども、伊江島の方でもこのＬＣＴ事件をきちんと継承しようという事で作られた平和劇、これをご覧頂きます。平和劇「時をこえ　伝えよう」この展示会は「伊江島の記録と記憶PartⅡ」という風になっていますが実は、PartⅠは去る７月から８月にかけて佐喜間美術館で開催しました。その時「伊江島命どぅ宝の家」の阿波根昌鴻さんが1950年代に撮影された伊江島の方々の写真展を開催しました。今回は、市民ギャラリーの６階でPartⅡの写真展になります。それでは展示会の実行委員長の比嘉豊光氏から展示会の内容ついての御説明をお願い致します。

【総合司会：**比嘉豊光氏**】
展示会実行委員長

「伊江島の記録と記憶」PartⅡ について

皆さんこんにちは、今日はコロナ禍の中、おいで頂きありがとうございます。先程の伊江村立西小学校の平和劇は実は本来ならこの会場で「平和劇」の公演を披露するイベントを目指していたが、コロナ禍で子供達の島外への移動が難しくなりビデオ上映となりました。当初「PartⅡ」は「緑十字機」と「ＬＣＴ爆発事件」の写真展と小学生の平和劇の2本立てを企画していましたが、コロナ禍で平和劇の公演は出来ませんでした。

私達はマブニ　ピースプロジェクトと言って摩文仁の沖縄県立平和記念資料館で2015年「平和と鎮魂」をテーマにやっております。最初1970年から始まった。今年は戦後75年、マブニ ピースからアジア、ある意味で世界に向けて平和を発信しよう「沖縄アジア国際芸術祭2020平和と鎮魂」アジアそして世界に向けて平和を発信したい。それが今回のプロジェクトとなった。6月23日沖縄県立平和記念資料館の前の平和公園でオープニング展示会から始まっています。今回県立美術館で開催する予定でしたけどもコロナの影響でできなくなりまして分散開催という事で始まった。それで「伊江島の記録と記憶

- 76 -

PartⅠ」は芸術祭の一つとして「沖縄アジア戦後民衆の抵抗の表現」、佐喜眞美術館での「Part
Ⅰ」の展示会ですが、ここでも写真を展示し、「沖縄戦の記憶をシマクトゥバで語る」〈琉球弧を
記録する会〉で撮影したシマクトゥバの上映とセットで展示会を開催した。伊江島から始まった
土地接収、そして伊佐浜から始まった土地闘争、現在も続く米軍基地との闘いという「沖縄の縮
図」と言われる伊江島の50年代の人々の姿も写し撮っています。闘いだけの写真ではなく、島の
人々の記録として撮っているもので阿波根さんの人柄が忍ばれます。それが共感をもたれ、多く
の来場者につながったと思います。この会場に長嶺氏が訪問され、話している間にＬＣＴ爆発事
件が沖縄本島の人にはあまり知られていない事に気付いたのです。平和アート展のプロジェクト
の追加として展示会を開催しようと色々と考えてみようと構想を進めて来たんですが、平和アー
ト展には6月から12月まで色んなパーツがある。多くのプロジェクトの中に組み込む計画で進
めたがコロナの関係で会場が探せずにいたら那覇市民ギャラリーに空きが出た。何年か前から島
袋和幸さん、長嶺福信さんがＬＣＴ爆発事件について資料収集や聴き取り、冊子の発行を続けて
来た。「伊江島の記録と記憶」は本気になってシマンチュが中心になって、伊江村役場、伊江村郷
友会の多くの方々の協力を得てこうした大きな展示会が実現出来た。本当に有り難うございまし
た。

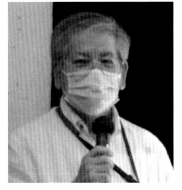

【長嶺　福信 氏】
伊江島米軍LCT爆発事件
8・6の会事務局

「伊江島の記録と記憶PartⅡ」概要説明
1）75年前の1945年8月19日「伊江島に平和の使節団緑十字機の
　　訪問」
2）72年前の1948年爆発事件2件「爆弾集積場の火災・爆発」及び
　　「ＬＣＴ積載爆弾爆発事件」
　今日のシンポジウムは75年、72年前の2つのテーマについて概要
を説明します。「緑十字機」は太平洋戦争降伏調印式の事前交渉の為連
合国司令部の指定に依り、降伏使節団をフィリピン・マニラへ輸送の
為仕立てた飛行機の事である。1945年8月14日日本政府はポツダ
ム宣言受諾、1945年8月15日玉音放送に依る終戦宣言、1945年
9月2日降伏文書の調印式が戦艦ミズーリの甲板上で行われた。降伏調印式の事前交渉の為、平
和の使節団17人搭乗の2機の緑十字機は千葉県木更津飛行場離陸1945年8月19日の07時18
分、伊江島飛行場到着12時40分、平和の使節団は伊江島飛行場で米軍機へ乗り換え13時30分
にフィリピン・マニラへ飛び立った。伊江島は終戦の為の平和の中継の島となった。平和の使者
緑十字降伏使節団が到着した75年前の1945年8月19日、伊江島は米軍が占領して村民不在で
あった。敗残兵4人が居た（木の上の兵隊2人・イッテヤーヤの2人）。その3年後の1948年に
未使用爆弾の爆発事故、事件が2件発生した。伊江島の北海岸米軍爆弾集積場には米軍によって
本土攻撃用として爆弾が多量に持ち込まれた。しかし大量に持ち込まれた爆弾は終戦によって使
われる事無く未使用の状態のまま残った。
1）1948年6月13日、14時30分頃に伊江島の北海岸の米軍爆弾集積場での火災、爆発が発生
　　した。村民約300人が消火作業を試みたけれども消火設備も無くて消火する事が出来ず火災
　　の範囲が広がり爆発の危険もあって消火作業断念して撤退した。火災、爆発は3日間続き6
　　月16日に降り出した大雨でようやく鎮火された。死亡者や家畜への被害はなかった。火災、
　　爆発が発生する前年1947年8月30日の爆弾集積場の在庫調査結果報告は115,000トンで

あった。爆弾の一部は中国へ運び出され、それから6月13日～16日に起きた爆発で一部が消失した。火災・爆発事故が起きた後の1948年7月1日の在庫調査結果報告は50,000トンであった。中国に爆弾が運ばれたとあるのは、終戦となって伊江島の北海岸爆弾集積場には使い道が閉ざされてしまった未使用爆弾が大量に残ってしまった。その頃、中国大陸では蒋介石率いる中国国民党と毛沢東率いる中華民国の間で内戦中であった。そこに目をつけた米国は中国国民党と「中国に対する余剰資産一括売却に関する協定」を結び、1946年8月30日～48年6月30日で合意から22ヵ月の間に沖縄に残った米軍の余剰の戦闘資機材を中国国民党が運び出す事になった。その作業は沖縄本島が優先して行われて伊江島の運び出しは村民不在でありリスクは低いと判断され後回しになった様である。それというのも1945年5月～1947年3月に村民が戻るまで伊江島村民は誰も居ない状態であった。村民が帰島した時にも北海岸の米軍爆弾集積場には未使用爆弾が大量に残っていた。

2）伊江島米軍爆弾処理船LCT爆発事件は1948年8月6日17時28分頃、伊江島連絡船桟橋西方50m、西側着桟中の米軍爆弾処理船LCT積載の25KGロケツト弾5,000発125トンが突然爆発した。原因は黒人兵が爆弾に駆け上がり爆弾が崩落。ロケット弾頭が甲板に当たり爆発。現場監督者のH弾薬検査員が積荷作業中の現場に不在。C中尉の指示通りに積荷がされなかった。

【司会：上間かな恵氏】

　これより本日参加頂いている皆さんからそれぞれお話いただきますけども、ここからの進行は本展示会実行委員長にお願いします。

【総合司会：比嘉豊光氏】

　では早速、石原昌家先生から宜しくお願いします。

「伊江島の戦中・戦後体験記録」の編集長として

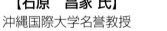

【石原　昌家　氏】
沖縄国際大学名誉教授

〔アジア太平洋戦争の降伏中継甚地・伊江島飛行場〕及びLCT爆発事件を語る

　私の本日のテーマは、緑十字機とLCT爆発事件となっています。

　私は沖縄国際大学に就職しましてその大学での研究のスタートは1970年から伊江島の聞き取り調査からなのです。その後何度も伊江島を訪問しています。

　伊江島は沖縄戦の縮図と言われている場所でもある。そして基地の島の縮図でもある。そういった点では色んな沖縄の矛盾というのが凝縮しているという事で学生と一緒に訪問しています。

　実は島袋清徳村長から命じられまして伊江島の記録をまとめる様に言われまして約900頁近くの資料集となる『証言資料集成「伊江島の戦中・戦後体験記録」イーハッチャー魂で苦難を越えて』のタイトルで出版をしてあります。

　その中で実はとても珍しいというかこれまでの市町村史では多分無かったと思いますが、先ほど映像で流れた「緑十字機」の写真を公文書館から入手しまして一枚一枚を「伊江島戦中・戦後体験記録」にグラビア写真として使って紹介しています。そこでは全てキャプションは英語で

あったものを日本語に翻訳して示されています。先程の説明に補足して申し上げますと、未だ降伏調印の打合せですから戦争中の状態なのです。伊江島に中継基地として降り立った時、日本軍の使節団が米軍の代表に花束を持ってきていたらしく、それを差し上げようとしたようである。そしたら米軍は受け取らなかった様である。要するに未だ調印して無いという事なんでしょうね。それ程緊迫した雰囲気であった。使節団の団長河辺虎四郎中将の他みんな緊張した面持ちで非常に硬い表情で米軍が準備した飛行機に乗り換えてマニラに向かう事になった。実はこの緑十字機の一機は故障し、もう一つの緑十字機が伊江島から調印の書類を持って木更津空港むけて出発するが途中トラブル（燃料切れ）で静岡県の磐田市に不時着、不時着した所から書類を持っていくというハプニングもあったようです。

　1941年12月8日アジア太平洋戦争が開戦となってその敗戦処理にあたるという事で中継基地として伊江島飛行場が利用された。つまり、日本の正式な降伏そして同時に沖縄の戦後処理、終戦、それもつまり伊江島に飛行場があって、伊江島飛行場がその歴史的場面に立ち会う事になった。1945年9月2日、東京湾の米戦艦ミズーリ号で日本が連合国軍に公式に降伏調印をした。連合国軍は9月2日以降南西諸島の全日本軍に対し降伏に応じるよう命じた。米合衆国第10軍は、日本の奄美群島、先島群島首脳を旧越来村森根に招集して琉球列島の降伏調印式を行う事にした。

　1945年9月7日旧越来村森根（現・沖縄市、嘉手納飛行場内）で、合衆国第10軍の司令官、ジョセフ・W・スティルウェル陸軍大将が連合国を代表して先島群島日本軍司令官の長、納見敏郎中将、奄美群島日本陸軍司令官の高田利貞少将、奄美群島海軍司令官の加藤唯雄海軍少将らが、出席して琉球列島の降伏文書調印式が行われ、武器の引き渡し等が行われた。この日、正式に沖縄戦が終結した。

　こうした事を決定づけたのが伊江島飛行場経由の緑十字機となる。伊江島の存在は日本の中でも大きな意味あいを持った所です。その時伊江島の村民は慶良間諸島に強制移動され捕虜生活をしている最中であり、村民のだれも居ない時の出来事であった。ですから緑十字機について殆どの方がご存じないという事は当然と言えば当然の話である。がしかし、伊江島は非常に宿命の島というか、日本にとって大きな転機に立つ場所として位置づけられる。

　「緑十字飛行」（みどりじゅうじひこう）とは、太平洋戦争（大東亜戦争）の終戦連絡事務処理のため、1945年（昭和20）8月14日から同年10月10日まで日本機でもって行われていた行為の呼称。また、本航空運行に使用された機体は緑十字機と称される。1945年8月14日のポツダム宣言受諾により、後の連合国軍最高司令官総司令部（GHQ）最高司令官となるダグラス・マッカーサーは、日本の大本営に対し、日本政府、大本営の代表使節団のアメリカ領マニラへの派遣を要請した。混乱を避けるため、マッカーサーは、代表使節団の使用機材、外装、通信の周波数に至るまで細かく指定し、機体の塗装に関しては「全面を白色に塗り、胴体の中央部に大きな緑十字を描け」とした。

　「緑十字飛行」「緑十字機」という名称はこれに由来する。この飛行は本土と伊江島の〈伊江飛行場〉間であり、伊江島からマニラまでは米軍機で移動した。当時は厚木航空隊事件が発生し抗戦派からの妨害が予想されたため、緑十字機には米軍機が護衛として随伴したが、最後まで緑十

字機への攻撃は無かった。連合軍の日本上陸後、日本による飛行は禁止されていたが、日本政府の要請により、戦後処理連絡飛行がGHQの許可により実施されることになった。敗戦直後、参謀次長河辺虎四郎中将を筆頭とする降伏全権団はフィリピンにて連合軍と会談し最高司令官マッカーサーによる降伏要求文書を受領、連合軍の進駐詳細や全軍武装解除を中央に伝達するため、8月20日、伊江島から専用の緑十字機にて東京へ飛行中であった。当初、木更津海軍飛行場を出発した1番機一式大型陸上輸送機と2番機一式陸上攻撃機の緑十字機は、伊江島で2番機が故障したため1番機のみで帰還。しかし途中で燃料が切れ、20日深夜に現在の遠州灘の天竜川河口（鮫島海岸）に不時着水した。全権団に怪我人はなく降伏要求文書も近隣の住民の助けを得て全て回収し、一行は手配されたトラックで浜松陸軍飛行場へ移動。代替機として同地にあった四式重爆撃機「飛龍」を急遽使用することとなり、翌21日朝に出発したのち調布陸軍飛行場に無事到着している。

米軍LCT爆発事件について

　それから3年後の米軍LCT爆発事件が起る事になるのですが、米軍は107名、伊江島の皆さんが調査したのでは102名という事になっている。一瞬の内に107名の方が亡くなる事は、沖縄戦の真っ最中において一つの爆発でこれだけ多数の即死者がでるという事は殆ど無かった。こうした例は世界でも無いのではと思う。だからその意味で世界史的大事件と位置づけられる。

　私がこの事件を肌で感じる事として宜野湾市の字宜野湾の字誌作りの聞き取り調査している時に、1948年8月5日の夜中に〈フィリピナー事件〉が発生した、フィリピン兵が襲ってくるという事で字の青年達は半鐘を打ち鳴らした。その最中に銃を打ち込んで来た銃弾に当たり1人即死、負傷する者が出た。その当時は車も何にも無い頃で家の戸板を外して負傷者を戸板に乗せゴヤの中央病院へ運んで行った。そしたら病院がごった返していた。それがじつはLCT爆発事件で米軍がヘリコプターで負傷者をどんどん運んでいるその日であった。聴き取りの中でその日ごった返していた雰囲気がものすごく伝わってきた。実はその時ヘリコプターで運んだ事は知らなかったがその後米軍関係の資料からその時の状況が分かった。

　このLCT爆発事件について奇跡中の奇跡という様な話ですが、ちょっと考えられないのですが、大きな爆弾の直撃弾の直ぐそばに居た人が助かったという事を何度か聞いている。と言うのは死角と言うですかね。直撃弾が落ちてビュンと飛び散りますね。その時傍に居た人は耳が聞こえなくなるんですが、全く無傷の話を聞く。それと同じでこのLCT爆発事件で直撃弾のすぐ側にいた人が助かったというのを聞きました。その人の証言を紹介します。「LCT爆発事件（1948年8月6日）は伊江島にある爆弾をLCTで運び出している最中の事故であった。米軍爆弾処理船LCTで爆弾を海上投棄していた。LCTにはフィリピン兵、黒人兵、白人兵が乗っていた。爆発の時の様子はLCTに一杯爆弾を積み込んでいた、潮が引いて瀬に引っかかり、出航出来なくなっていた。そのまま身動きの取れない状態の所に私の乗っている連絡船も港に入ってきた。あの時私（玉元昭仁機関長）の記憶では渡久地港直行ではなく、何かの理由で浜崎を経由していた伊江港に3時頃着いたとおもいます。乗船客は50〜60名位でした。その人達を降ろして沖合にある夜間停泊する錨地にとめるため、バックで移動している時でした。バックしてきてLCTの10m位後ろ側に並んだ丁度その瞬間、爆発が起きた。場所は今の桟橋の真ん中あたりです。連絡船の乗組員は、宮城誠徳さん、玉城長次郎さん、私の3名です。平安山厚勇船長はLCTに用事があるといって先に降りた。誠徳が舵を取り、長次郎がロープを持ち、私は機関室にい

た。米軍のトラックがＬＣＴの前に入って来て、ガラガラと音がして次に火花が飛び散った様にみえた。ＬＣＴには伊江島の20才前後の女性が3～4名のっていて、その女性達の「キャー」という声が聞こえた。ＬＣＴと私達の連絡船は10m位しか離れていなかったから、爆発の瞬間は耳が聞こえないくらいの音がして、ＬＣＴの操舵室あたりから火が出ているのが見えました。次の瞬間、機関室に居た私は船底に叩きつけられ、左目が切れて垂れ下がり、出血もしていて爆音で耳が少し聞こえなくなったぐらいです。」爆発したＬＣＴの10m近くに居た連絡船に乗船していた玉元機関長と他の誠徳さん、長次郎さんの3名は奇跡的に助かった。先に下船していた船長は被害を受けた。

【総合司会：**比嘉豊光氏**】

　石原先生有難うございました。それでは引き続き伊江村元村長の島袋清徳さんにＬＣＴ爆発事件体験者として、被災者の方々の援護等を語って頂きたいと思います。

【島袋　清徳 氏】
伊江村元村長

ＬＣＴ爆発事件体験者として被災者の援護等を語る

　私がＬＣＴ爆発事件に遭遇したのは幼少の11歳の時でした。悪夢の様な悲惨な事件の事は忘れる事は出来ません。この様に年取っていますけれども未だに脳裏に鮮明に記憶している。その日、本部町に一泊の予定であったが父の用事は後日に変更して日帰りしようという事で父と私は伊江島行き連絡船に乗り込み島の港に船が到着し、腹ペコで喉も渇いていたので真っ先に下船して丘の上の木麻黄林で弁当を食べようとしたら前の道路はトラックが往来し、砂ぼこりが立っていたのでここでは食事は出来ないという事でそれで食事をやめて水を飲むつもりで10m先にある民家に入り、水溜めのドラム缶のふたを開けてひしゃくを取り上げて水を飲もうとした時に耳が裂ける様な爆発音がして一瞬目の前が真っ暗になった。しばらくして気がつくと波止場一帯はうめき声や人々が縦横無尽に右往左往して騒ぎが大きくなってまさしくパニック状態でした。パニックの中家路に向かう際に人が倒れているを見かけたがそれが死体とかの認識もなく、ただ突っ走ってウプクチ（大口浜）から上がって家に向かうその途中のアーニーパイル碑東側交差点近くで倒れ死んでいる人がいるのは見たが誰なのかはさっぱり分かりませんでした。さらにそこを通り越していつの間にか自宅に辿り着いた。家に母が居て、母は一泊の予定で出掛けていると思い込んでいる訳ですから、しかし目の前に居るのは息子1人だけ帰ってきている。いつも物静かな大変おとなしい母が私の肩を両手でゆすぶりながら「おとうはどうしたの、父親はどうしたの？」と問いかけるが私はただ「わからない」と答えるだけであった。気が付いたらひしゃくを握ったまま家まで持って来ていた。そして自分で握りしめた指を放し切れなくて母が指の1本1本を広げていった。とても痛くて「痛いよ」と言ったが、そうしながら母は「何処のどの家で水を飲んだのか？」と問いかけるが私はただ「分からない」と答える。すでに母は「今日の連絡船の乗客は船もろ共に皆死亡した」という情報が入っていたらしくてもう父は亡くなっていると決めつけて僕に何とも言わないで近くの親戚5、6名集めてそして僕も連れられて父を探しに現場へ行った。いつもは真夏の光線で輝いてきれいな砂浜です。それが爆発で一瞬の内に真っ黒に染まっているわけです。そこには爆弾の破片、ＬＣＴの破片が散乱している中を人が右往左往して死体を探しているわけです。こういった状況で人間の

死体がここにあるという事は分かるがそれ以上の事は全く見分けが付かなくて死体が誰なのか確認する事は容易でありませんでした。探している内に爆発現場から西側のウプグチの間くらいに死体があって「この死体には手が無いよ」と誰かが言った。父親は若い頃に手の一部を無くして身体障害者なのです。顔形も分からんが手が無いというのを聞いて、伯母が死体を見て「この手は爆発で切れたのでは無くてそれ以前に切れた手だ」父の名前は松助ですが「これは松助に間違いない」という、父に違いないと言ったので死体を囲んで5、6名で喚いていた。私はどうだったかと言うと父が死んだという意識も無い11才ですから何か感情があると思うんだが全く無い、ただ傍で立ちすくんでいるだけでした。親戚の皆さんはワーワー泣きわめいて言葉を掛けたりしている状況の中で黙っていて悲しいとか父が死んだという認識も無い。今、大人になって考えると「その現実を受け止める事が出来なかったのかな？」と思いました。そうしている時に背後から「清徳まだ生きていたのか？」と大きな声でどなられたのです。振り向いたら死んだはずの父が立っていた。生きている。これこそドラマではありませんが死と生の逆転劇となった。借りて来た荷車に父を乗せて家に帰った。隣の従兄弟が犠牲となり亡くなっているんです。ところが通夜にも行かない。我が家では波止場に行った親戚5、6名集まって「マブイユシ」（ショックで身体から逃げた魂を呼び戻す事）をやった。そこで父はその日の出来事を話していたが最後まで聞けばよかったが話の途中で私は寝てしまった。翌日も朝早くから私は現場に行った。現場は死体を探す人それを集める人。又、午後から集められた死体を港の西側の木麻黄林に身元不明者として埋められた。その後の記憶があまり無い。その後遺族に引き取られたのかはよく分からない。その2日間の状況は「生き地獄」という表現しか出来ないです。私はこの波止場事件の節目々に関わって来たつもりです。それで誰よりも思いを強くしているものがあります。事件の生き残りというんですか、遺族の皆さんが集まって慰霊碑を建立された。その後村の船舶課が管理する事になっていて私が船舶課長になった時に管理者となりました。そして1966〜67年頃補償問題が出てきた。この補償問題が実現したのは時の村長や議会からの要請があっての事だと思うんですが、ところがそれ以前に沖縄の軍用地主会の会長、沖縄市の桑江朝光氏が伊江島に来られて調査された記憶があります。その結果は分かりませんが、そのお陰だったのか経緯は詳しくないが、その後少ない補償金が支払われた。なんでそんなに少ないんだという事で民政府に行った。民政府の担当者は補償金は無い。講和発効前だから米国に補償する義務は無く、これは見舞金だとの説明だった。私は当時財政課長で支払い事務の責任者でもあったが、金額や支払いの説明等が全く無かった。一番忘れられないのが先程石原昌家先生が触れられていた連絡船の機関長は玉元昭仁さん現在も健在ですが、船長の平安山厚勇さんは犠牲者で、奥さんはアキさん、アキさんが私の所に来られて「何で死んだ人よりも生きている人が多いのか？船長と言う現職で死んで何故少ないのか？」「私では分かりません。何しろ補償金の説明も計算の説明も何にも無くてただ民政府から伊江村へ支払いの委託だ」と強制的に委託され、委託料もあった。2、3日してまた来られて「村長の所へ行って下さい」と言って、私は村長と思ったが後で聞いたら助役と一緒に民政府まで理由を聞きに行っているのです。しぶしぶ帰られて「清徳さん、納得ならんしぃが 仕方ならぬ けーてぃちゃん」そういう言葉を頂いた。「そうですか」と申し上げた。民政府は「見舞金」として支払うという。そして遺族の方々も見舞金だと分かっているけども、しかし受けた遺族は補償金に統一しようとの話になった。おかしい逆ではないのか？見舞金は二度受ける事は出来ない。それで「補償金は少なかったのでもっと増やせと再度要求できるそういう考えがあった」と、「なるほどね」と後ほど私も納得というか理解して相当知恵を絞られたなと感心しました。

村長になってから伊江港ターミナル周辺一帯のマリンタウン事業を５ヶ年計画で企画し、着工が平成９年で平成15年に完成した。その時に慰霊碑を単なる移設ではなく現在の場所に新しい慰霊碑を建立した。私が思うに伊江島の米軍ＬＣＴ爆弾爆発事件は、ただ大きな爆発事件だったと片付けたくないのです。と言いますのは石原昌家先生がご苦労されて作られた証言資料集成「伊江島戦中・戦後体験記録」の本には伊江村にとって貴重な歴史資料がまとめられている。大変感謝しております。この本をご覧になった方はご存じかも知れませんが、時の状況として戦争で痛めつけられたこの傷を癒す事も無い内に着の身着のままで見知らぬ島に移動させられて２年間収容生活、難民生活に耐え抜いて生まれ島ふるさと伊江島に帰る事が決まり、喜びと大きな夢を持って帰って来た。島に足を踏み入れると生まれ島は廃墟と化してこの無残な生まれ島の姿に気が動転して言葉を失う方もたくさん居たという。そして更に傷ついた心を癒す余裕もなく村民は廃墟の中から生きる為に無から立ち上がらなければいかん。それこそ石原先生がおっしゃっていましたがイーハッチャー魂、根性で立ち上がって昼夜を分かたず一生懸命努力、その最中に起きたのがこのＬＣＴ爆弾爆発事件、本当に追い打ちを掛けられた様な事件。これから芽を出し希望を持って一生懸命という矢先にこの芽が完全に押し潰されて遺族はもとより村民も生きるすべを

失って途方に暮れました。そういう事を考えてみますと伊江村の戦中・戦後の傷だらけの歴史、その歴史に更に傷の大きい負の歴史を積み重ねて来たという事になる。考えてみて下さい。もうその時は、沖縄本島あたりでは戦後復興という事で素晴らしく復興している所もあります。しかし、1948年８月まで伊江島の北海岸の米軍爆弾集積場に大量の未使用爆弾が貯蔵されていた。他の市町村は戦後復興に向かっているというのにその頃の伊江島は爆弾を大量に抱えて戦時中だったのです。私はあえて伊江島は戦時中と表現しています。ですから、ただ伊江島のＬＣＴ爆発事件を見過ごす事なく、当事者である伊江村民も願わくば多くの皆さんと共有して今後も事件の記録と記憶を語り続けて頂きたいと願う者です。ご静聴有難う御座いました。

【総合司会・比嘉豊光氏】
　元村長の島袋清徳さんの貴重なＬＣＴ爆発事件の体験談とそれにプラスして色んな思いを語って頂き有難う御座いました。今回の展示会は写真展という位置づけで、公文書館の写真をメインにして、それを大きくプリントして展示する。その展示するというのは、「見せながら説明をする」というスタイルです。今回は謝花直美さんが『沖縄タイムス社』に新聞連載をした記事を大きくプリントして、展示しようと長嶺氏から提案がありました。今までの展示会では経験が無かった。今回あえてそうした事件関係記事も含めて展示会でやろうという事になりました。やはり歴史を展示する中で新聞等の記事を掲示し、そこに事故・事件に関わり、インタビューを受けた方々を含めた色々な形の展示会になったと思います。その意味ではこのＬＣＴ爆発事件に対して記者として連載されたとの事です。そういった点も含めて宜しくお願いします。

【謝花　直美 氏】
『沖縄タイムス』記者
沖縄大学特別研究員

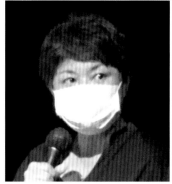

爆弾集積場の火災・爆発事故及びＬＣＴ爆発事件取材を語る

　皆さんこんにちは、沖縄タイムス社の謝花直美です。宜しくお願いします。こうした場所では体験者の方がお話しをされるのがベストだと思いますが、私が取材した範囲で述べさせて頂きます。

　私は2008年と2017年2018年の3回に亘ってそれぞれ連載をしました。取材者として戦後史の研究をしているのでそういった視点から「伊江島米軍ＬＣＴ爆発事件」をどう見るのかと考える上では3つの視点が重要でないかと私自身が思っている。それは「移動と労働と復興の視点、復興その点については元村長の島袋清徳さんが先程話されていました復興の視点、まさしくその通りだと思います。「移動」というのはやっぱり「沖縄の戦前・戦中・戦後」を考える時に、「移動」という事は大きな意味があると思います。例えば、伊江島の方々は慶良間諸島の渡嘉敷島、座間味の慶留間島に米軍の捕虜となり収容されて、そこには記念碑が建立されている。命が救われましたという感謝の記念碑です。

久志村大浦崎収容所

渡嘉敷島収容所

慶留間島収容所

　これは、米軍が伊江島に飛行場を作る為になされた強制移動です。そして、沖縄本島の久志村にあった大浦崎収容所にも記念碑が建立されている。そして、命からがら村に帰ってから起きた「米軍伊江島ＬＣＴ爆発事件」で亡くなられた方々の為にも波止場にＬＣＴ爆発事件犠牲者の慰霊碑が建立されている。この3つの石が意味する事は、伊江島の方々が大変「激しい移動」をずーとされていたという事だとおもいます。「石」にこういった事件を刻むという事は絶対に忘れてはいけないと決意されていたと思います。沖縄戦の慰霊碑とは違う、命を育んでもらったという決意の3つの石碑を建てたにも関わらず、又波止場に悲惨な「ＬＣＴ爆発事件」の慰霊碑を建てなければならなかった。伊江島の重い歴史を決して忘れてはいけないという「意志」が「石」に刻まれて置かれていると思うんですね。中々戦後史をこういう風に「石」に刻んで記念している市町村は多くはない、殆どないと私はずーと思っています。苦難の歴史と元村長の島袋清徳さんがおっしゃっていました。まさしくその通り傷だらけの歴史、住民の方々にとってそうなんですけども、何故不条理にも慶良間諸島へ強制移動させられたり、またそこで日本軍の虐殺にあった元村民の方々がいた。そして直接伊江島に帰らずに本部半島の収容所に移動する事となる。伊江島の方々にとって苦難の歴史でありますが、民生という事を考えると一体何だったのかと考えがえると米軍は北部の収容地区に最大で30万人の人々を米軍基地を作るために中南部、伊江島から移送していますがそこから出て行く事が沖縄の人々の復興の始まりと各市町村では語られています。ところが伊江島の人々は最後の最後まで出ていない。収容地から最後に出たのは那覇市と北谷と読谷と言われていますが、伊江島の人々は私の聞き取りによると多分本部とか国頭に離散させられているのではないかと思われる。1947年大浦崎収容所が解散する時点で伊江島の人々も島へ戻って行く状況なのですが、米軍に

とって収容地区を維持する事はとても大変な事です。というのは物資の配給です。レーションとかを配る為に非常に金が掛かります。だから沖縄の人々の力を労働にして確保させようという事で収容地区から出して行く訳ですね。土地が空いていればその土地に米軍基地に取られている所では伊江島、那覇は物資集積地に、読谷は帰る所が無かったんです。伊江島の場合も広大な飛行場になった為に帰る事が出来なくて結果的に２年余り北部地域、色んな所に留めおかれている。例えば「他市町村の港みたいな所にカバー屋を作って２年余り住んで居た。」と話しを聞いている。働かないと食べていけない。1946年５月までは通貨が無かったので無償です。６月からは現金が無いと配給が買えなくなった。つまり伊江島の人達は何処で働いて得ていたのか？軍作業に就ける事で現金を稼ぐことが出来る。もし軍作業が有れば移動が出来た訳ですね。南部では真和志村や那覇がそうでした。真和志村は軍作業に入るという事で移動させてくれと依頼もしています。そういった中で複雑な移動をして行って伊江島の人々は島に帰っていくのです。しかし伊江島の人々にとって困難な歴史、米軍にとっては食料の管理、食料が大変なのでとにかく働いて貰う。そのせめぎ合いの中伊江島に帰る事が出来たのではないだろうか？これは阿波根昌鴻さんを研究されている方々が離散の状況を含めて解明されるのではないかと思います。この研究を待ちたいと思います。

　伊江島に戻った時に軍労働に巻き込まれていますね。2017年に取材した時に友寄久男さん、知念良成さん、山城久次さん、ご本人達のことばがいいと思いますが、書いた記事を読むと1947年３月に伊江島に帰還が始まって皆さん胸が躍る思いだった。16才の少年達が先遣隊となってテント張り等した。島に戻って、複雑な軍作業に関わり、あるいは巻き込まれていって生活が成り立つ。当時すでに復興は始まっていた。1948年１月の「米軍貯蔵月報」によると、嘉手納や那覇は安全管理に問題がある。しかし、伊江島に関しては弾薬集積地に耕作地や民家が無い為危険は無いとしていた。那覇などは復興がかなり進む時点で、伊江島は砲弾まみれの島になっていた。「ＬＣＴ爆発事件」を考える場合、事件そのものを考える前に沖縄全体の復興。その復興をなす中で移動をしなくてはならない。そして、その中で生きていく現金を得る場所は何処なのか。1948年１月の「米軍貯蔵月報」を見ると、伊江島の人々の命は本当に大切にされていたんだろうか？そうした点から、この事件を見る上で考えさせられる。従って、この事件を絶えず繰り返し報道し、そうする事によって新たな視点が出てくると思います。

【総合司会・比嘉豊光氏】
　今の報告でも、このＬＣＴ爆発事件についてはあまり知られていなかったと思います。伊江島では、まだ〈戦争状態〉という中での事件。勿論、沖縄全体を見ても、占領状態の中各地の収容所から出て来て、伊江島は自分の土地に帰れないという状況。そうした中での「ＬＣＴ爆発事件」であったと思います。次に「ＬＣＴ爆発事件遺族・体験者の証言聞き取りとの記録と継承を語る」について島袋和幸さん宜しくお願いします。

【島袋　和幸 氏】
伊江島米軍ＬＣＴ爆発事件
8・6の会元会長

「ＬＣＴ爆発事件遺族・体験者の証言聞き取りとの記録と継承を語る」

　私がこの「爆発事件」に関わったのは5年前。突然伊江島に渡り、薄い雑誌『沖縄・伊江島米軍ＬＣＴ爆発事故』を発行した事に始まります。当時、事件から早くも68年程が経っていて、沖縄県公文書館から爆発事件についての米軍事故報告書シークレット資料がすでに公開されてから8年目のことだった。そしてこの時すでにシークレット資料を手に入れた伊江島の人が数人居る事も、島に渡って解った。その後当初は那覇や伊江島でおしゃべり会等を行っていたが、ここ数年前から何か違和感を覚え始めた。事ある毎に、「あまり知られていない」とか「被災者が話さない」という声が聞こえてきた。私は、発行した雑誌で事件を「闇の事件」という言い方をしたのだが、実は、全く闇ではないのではと思い始めた。そこで、この爆発事件についての記述、記録等を探り始めた。すると多くの書物で記述が錯綜していた。しかし、多くの記述も存在していると解った。その思いを【ＬＣＴ爆発事件の語られ方】として時系列に示してみた。シークレット公開は2008年だが、その公開前から「爆発事件」について、多くの資料・記述が存在している事が解る。私たちは、こうした記述・資料に真剣に向き合ったのだろうか。こうした記述の行間に滲む、「思い」にどう向き合ったのだろうか。シークレット公開前の1999年には『伊江島の戦中・戦後体験記録』で、「ＬＣＴ爆発事件」が喝破されている。それ以前にも新聞や雑誌等から事件についての記述を拾う事が出来る。一方で、シークレット公開以降はどうなのか？2009年には「爆発事故から61年港で何が起こったのか」が映像で放映された。続けて『沖縄タイムス』で7回の連載があり、直近でも『沖縄タイムス』で5回の連載が2度も行われた。その間、地元テレビ局で「米弾薬船爆発事件から69年」が放映され、続けて「伊江島爆発事故の証言を求めて」がＮＨＫで放映されている。その後、伊江村立西小学校児童による平和劇「時をこえ 伝えよう」の開催は記憶に新しい。この演劇の様子についてもＮＨＫニュースで放映されている。

　こう見てくると、私たちは、この事件に「どう向き合ってきたのか」を反芻せざるを得ない。「学習や語る」という事に対して、今一度、「向き合い方」についてコミュニケーションを交わす必要性を痛感します。そこに、「住民目線」の向き合い方があるのではないだろうか。「忘れられてはならない事件」として、被災者に寄り添う向き合い方がなされてきたのか、今一度立ち止まって振り返る事も無益ではないと思います。その意味で、【ＬＣＴ爆発事件の語られ方】について、再考したいと思い、レジメとした。

〔伊江島米軍・ＬＣＴ爆発事件の語られ方〕
【ＬＣＴ爆発事件・記録の時系列】

◆1948年8月13日『うるま新報』初のＬＣＴ爆発事故報道
◆1952年4月28日　講和発効
◆1958年7月21日『琉球新報』「講和前補償・新段階へ」ニューヨークへ
▼1959年伊江島埠頭での爆発事故について「琉球政府立法院」で山川泰邦氏質問
◆1967年4月　旧「被爆慰霊碑建立」事故から19年目
◆1967年3月14日　講和前補償（見舞金）支給される
◆1969年4月『明治・大正・昭和沖縄の世相史』山城善三著「伊江島桟橋爆発事件」
◆1974年「青い海」No.36「よみがえる伊江島の惨劇」上間幹子さん投稿

佐喜眞美術館学芸員：上間かな恵さんの母
◆1983年『沖縄大百科事典』「沖縄タイムス」社「伊江島米軍弾薬処理船爆発事故」
☆1984年6月22日「地元紙に論壇〈ＬＣＴ爆発事故に戦争を見た〉」を書く　金城正子さん
　　　自著『月桃』に所収：金城正子さん
◆1995年1月『戦後50年犯罪史』比嘉朝進著　爆発事件記述
◆1999年3月『伊江島の戦中・戦後体験記録』イーハッチャー魂で苦難を越えて「ＬＣＴ体験者
　　　証言資料集」
◆1999年7月2日『琉球新報』石原昌家「沖縄戦の実相」でＬＣＴ爆発事件に言及
◆2001年3月　　　「新〈被爆慰霊碑〉建立」
◆2003年3月21日『阿波根昌鴻・その闘いと思想』佐々木辰夫著〔年表に補償金問題〕
◆2008年8月「沖縄県公文書館」「ＵＳＣＡＲ文書・シークレット資料」公開
　　　〔伊江島出身者数名がシークレット文書を入手している玉元さん、内間さん等
○2008年10月23〜10月31日『沖縄タイムス』謝花直美さん「戦世は終わらない」①〜⑦
◆2009年1月「sukeboスケボーさんのマイページ」
★2009年8月5日『琉球朝日放送』リポート　島の多くの被災者が証言する内容
　　　〔爆発事故から61年港で何が起こったのか〕
◆2011年2月『聞き書き・島の生活誌』（知念シゲさん・大城文進さん）
＝いくさ世を越えて・沖縄島・伊江島のくらし＝「伊江島米軍ＬＣＴ爆発事件」
◆2013年5月1日「ＮＨＫ戦後史証言アーカイブス」証言者・映像：玉元昭仁さん
　　　〔未来に伝える沖縄戦〕①「伊江島飛行場」
◆2015年8月15日『知られざるユナッパチク壕』＝あの時地の底で何が起きたのか＝
　　　〔ＬＣＴ爆発事故の惨創〕並里千枝子著
◆2016年8月6日『沖縄・伊江島 米軍ＬＣＴ爆発事故』島袋和幸著
　　2020年9月25日「伊江島米軍・ＬＣＴ爆発事件8・6の会」作成：島袋和幸

【総合司会・**比嘉豊光氏**】
　島袋和幸さん有難うございました。では引き続き緑十字機を語る会の渡久地政雄会長宜しくお
願い致します。

【渡久地　政雄 氏】
伊江島緑十字機を語る会会長

伊江島に降りた白いハト・緑十字機を語る
　皆さん今日は、先程から、石原氏と長嶺氏から説明がありました。重
複するかも知れませんが、私から緑十字機について再度説明したいと思
います。『伊江島の戦中・戦後の体験記録』に緑十字機について記録さ
れている。この事について、詳しくは知らなかった。この書が発刊され
た時、私は川平区長でしたが、凄い事だったと知りました。私が伊江村
議長になって静岡の磐田市から一通の小包が届きました。中には『緑十
字機決死の飛行』の1冊の本が入っていた。そして「平和のハト・緑十
字機物語」というパンフレット、ＣＤの資料等が同封されていた。こ
のような歴史的重みのある、太平洋戦争を終戦に導いた緑十字機の活躍
は、国民にも余り知らされてない。今後、私たちは、これを語り部として引き継いでいきたい。伊江

村では不時着をした磐田市との交流はあまりなかったと村長から聞いていた。そこで私は島の先輩に、緑十字機について聞き取りをしました。現在80〜90歳の方にとっても75年前の事です。詳しく知らないのが当然です。1945年7月に連合国はポツダム宣言受諾を言い渡すが日本は黙殺した。8月6日に広島、8月9日には長崎に原爆投下。長崎投下前に京都への投下が予定されていた。軍事基地の無い京都を避け、小倉への投下を模索した。しかし広島原爆の1.5倍の原爆が長崎に投下された。が、山沿いへの投下で被害に差が出た。ポツダム宣言受諾可否で第三の投下を京都に予定。その後、ヤルタ会談以降紆余曲折を経て、全権大使以下28名が2機の緑十字機で派遣された。ソ連の日本への圧力に対抗してマッカーサーは早急な派遣を求め8月19日に木更津空港から伊江島飛行場に到着後、間もなく11名が米軍のダグラス機に乗り換え伊江島飛行場を立ち、約1時間後にフィリピンのマニラに到着した。調印事前打合せ会議後、米軍のダグラス機にて伊江島飛行場に到着、夕方4時50分に伊江島から木更津空港向けて飛び立った。しかし飛行の途中に燃料切れとなって静岡県磐田市に不時着した。重要書類や人員にも損害は無かった。そして9月2日、ミズーリ号での降伏調印にこぎ着けた。日本国内では玉音放送の8月15日が終戦記念日としているが、世界での見方は、戦争が終結したのは9月2日である。この緑十字機の展示会については最近、急きょ準備を始めた。長嶺氏や本島の郷友会関係者と緑十字機について話し合いをもった。磐田市では3年前から「みどり十字機を語る会」が発足していて不時着した夜11時55分には毎年イベントをしているとの事である。私たちも「伊江島緑十字機を語る会」を今般立ち上げました。今回の機会を経て、これで学習を終わらせるのではなく、島の先輩を含め語り部として親睦を深めていきたいと思います。

　伊江島緑十字機を語る会の目的は、太平洋戦争の終結に向け、降伏軍使が生死の補償もない秘密裏の重要なミッションに赴く中で、緑十字機の飛行が伊江島飛行場を利用されている。「緑十字機の責務と伊江島がどのように関わっていたかを後世に伝えていく事を目的として、取り組んでいきます」。

【総合司会・比嘉豊光氏】
　渡久地政雄さん有難う御座いました。
　「伊江島米軍ＬＣＴ爆発事件8・6の会」の島袋和幸氏と長嶺福信氏が73年前に起きた爆発事件の関係資料を沖縄県公文書館から取り寄せ、その当時現場に居合わせて体験された方々からの聞き取り記憶を掘り起こしながら、記録していった。それは、この展示会もそのものです。私自身も実は長嶺氏と伊江島に何度か通ってＬＣＴ爆発の体験者の〈シマクトゥバ〉を11名映像に収めました。私自身は「シマクトゥバで語る戦世」を映像として収める事をしてきた。過去に伊江島の数多くの人々を撮影してきた。〈シマクトゥバで語る〉というのは、その現場に戻れるという事です。「シマクトゥバ」で語ると70年前の記憶が蘇り自然に出てくる。聞き役も「いーじまんちゅ（伊江島の人）」となります。それは言葉をシマグチからヤマトグチ（標準語）に変換する事がカットされ、語り手と聞き役も同じ土俵の上で「記憶の共有」がスムーズに出来る。「伊江島米軍ＬＣＴ爆発事件8・6の会」が掘り起こしてきたものと私の〈シマクトゥバ〉の記録を今回タイアップして写真展を開催できました。有難う御座いました。

【司会・上間かな恵氏】
　皆さん長い時間ご静聴頂きまして大変有難う御座いました。これにてシンポジウムを閉会いたします。

7．伊江島米軍爆弾輸送船LCT爆発事件を語る

76年前の母の願い、未だ叶わず

佐喜眞美術館学芸員　上　間　かな恵

　私の母、上間幹子（よしこ・旧姓東江）は1936年に東江三郎・ウタの5人兄姉の2女、末っ子として伊江村東江前に生まれた。8歳のときに伊江島で沖縄戦を体験、祖母・父・兄、多くの親族を亡くす。慶留間島や本島北部を転々としたあと1947年に帰島。その1年後の1948年8月6日に戦後最大の米軍関係の死傷事件「米軍爆弾輸送船ＬＣＴ爆発事件」以下「ＬＣＴ爆発事件」が起き、長兄（東江照一）のほか多くの親戚を失ってしまった。生きるための頼り綱である働き手の男性をさらに失い、貧困のため高校進学も諦めざるをえないところを米国人牧師ハッキンス氏の大きな支援で、名護高等学校へ進学。名護英語学校卒業後、英語観光ガイド、教会で外国人宣教師の通訳・伝道ヘルパー、琉球キリスト奉仕団（CWS）、沖縄県老人クラブ連合会などで勤務、1986年突然の病気のために死去。50歳を迎えたばかりだった。

　生前の母から聞いていた伊江島の戦争の話は、壕入り口の擬装用の枝木が枯れていたので新しいものと取り換える作業をしていた父親が海上から打ち込まれた艦砲射撃で即死、隠れていたガマが崩れ祖母が生き埋めになってしまったこと、そのとき母は生き埋めになった祖母の隣に座っていたがガマの中で生まれた双子の赤ちゃんをあやすためその場を離れていて自分は助かった、ということだけだった。

　そんな母の壮絶な戦争体験を詳しく知ることができたのが郷土月刊誌「青い海」（1974年秋季号）に寄稿した母の手記である。寄稿のことは父から聞いていたが、家にはその号はなく、寄稿した年を父が勘違いをしていたこともありなかなか探せずにいたところ当時「青い海」の編集に携わっていた知人を通じて入手できたのがいまから4年前だった。伊江島での戦争体験と戦中戦後の母の思い、ＬＣＴ爆発事件など、母が亡くなってから30年近くたって知る体験の重さに言葉を失った。この壮絶な体験を二度と繰り返さないためにどれだけ子や孫たちに伝えたかっただろうか。4ページにわたる母の手記のなかで「ＬＣＴ爆発事件」の体験のところを少し長いが抜粋する。

　「いよいよ島へ帰れる日が来た。昭和22年であった。見渡すかぎり焼け野ケ原である。引揚者も疎開者も、島での生残りもみんな一緒に帰って来た。そして島の東海岸沿いに急しつらえのコンセット集落が出来上がり、共同生活が始まった。戦争は終わったとは云え、島へ移り住んでからも連日不発弾が爆発したり、それとは知らず遊んでいた子供たちのおもちゃが爆発したりで、心の休まる間がなかった。結局こういった一連の事故も、すべては死損で補償などなされたためしがない。

　そして昭和23年の8月6日、私の親族に再び100数人の死者を出す大きな事故が突発した。外地から復員して来た長兄は、我が家の生命の綱であったのだが、この事故でこの兄までが死んでしまった。事故の原因は、使い残しの爆弾処理をしていた米軍の爆弾輸送船ＬＣＴが爆弾の積載中に爆発したのだ。ちょうど乗客を満載して、渡久地港から入港して来た島の連絡船から先客がおり始めた時刻とかち合ったため多数の犠牲者が出たのだった。私の兄たちは親せきの遺骨を迎えに行って、この事故に遭ってしまった。

　兄の妻、つまり嫂は、この事故で夫、父、叔父の3人の身近な人を同時に失ってしまった。事

故現場は、黒こげになって散乱した肉片で足の踏場もなく、死体の確認はずい分手間どったものだ、私の兄などは、わずかに残った足のつめとポケットに入っていた印鑑で漸く確認出来たのだが。嫂は六ヶ月になったばかりの乳児をかかえて若い未亡人となり、母を戦争で失い、今又父を失くした幼い弟妹たちの親代わりにならなければならなくなった。

　その哀れな嫂を前にしては、私の母など自らの悲しみを訴えるわけにはいかなかったようである。父の死も兄たちの死も、そして祖母の死にも、私は一度も母の涙を見たことがなかったが、今又一滴の涙も出ないという。泣く余裕などないのだそうだ。

　この時も、犠牲者には米軍からは何一つ補償はなかった。強いて云えば、唯一枚の野戦用の毛布だけであって、見舞いの言葉さえ受けていない。その後17、8年目にやっと1人900ドル程度の補償金が支払われたそうである。円換算にすれば、25万円程度にしかならないのである。遺族は生活苦と闘いながらとにかく生き抜いて来た。悲惨な出来事を私はあまりにも多く見すぎて来たように思う。」

　この手記を読み伊江島にいる母の兄、私の叔父（東江正治）にも「ＬＣＴ爆発事件」のことを尋ねたことがある。その頃中学生だった叔父は、連日爆弾輸送船ＬＣＴから運ばれてくる爆弾処理の仕事をしていたが何故かその日は朝から歯が痛み出しその激痛で仕事を休んで家にいたところ、ものすごい爆発音がして港にかけつけると想像を絶する港の大惨事であった。「何百メートル先まで肉片が飛び散ってたよ」と話す叔父も、もし歯の痛みがなければ確実に爆死していただろう。もう一度戦争のことや母のことを詳しく聞きたいと思いながら昨年7月末に亡くなってしまった。

　昨年7月に私の勤務する佐喜眞美術館で開催した「沖縄の縮図伊江島の記録と記憶」展で知り合った「沖縄・伊江島米軍ＬＣＴ爆発事件8・6の会」の島袋和幸さん、長嶺福信さんにこの母の手記のコピーをお渡ししたところ、お二人もこの手記の存在は知らず1974年という早い時期に「ＬＣＴ爆発事件」のことが伊江島出身者によって書かれていたということに大変驚かれていた。続けてその年の11月に那覇市民ギャラリーで開催された「沖縄の縮図伊江島の記録と記憶PartⅡ　「ＬＣＴ爆発事件」展に資料として大きくコピーされた母の手記を並べてくださった。

　「ＬＣＴ爆発事件」等、伊江島の〈爆弾禍〉は枚挙に暇がない。過去から現在につながる伊江島の「歴史」そのものと言える。こうした爆弾禍は『死損で補償などなされたためしがない』。上間幹子さんの渾身のレポートだ。やっと日本復帰を果たし、生活に汲々としていたこの頃、上間さんの『伊江島の惨劇』のレポートはまさに自らの体験が、伊江島の戦禍そのものをリアルに表現している。ことに『ＬＣＴ爆発事件』の惨劇など、伊江島出身者として嚆矢のレポートであろう。この時期に喝破された上間さんの心情に、私たちはどう向き合うべきでしょうか。」と言葉を添えて多くの人が目にする機会をくださったことに、亡き母も大変喜んでいるに違いない。

　手記の最後に母は「沖縄でしか見ることのできないあでやかな原色の美しさを、とこしえに愛でて行けるような真の平安が、人々の心によみがえる日の来ることを願いつつペンをおく。」と書いたが、沖縄ではいまなお続く米軍の多種多様の事件事故に母の願った「真の平安」はまだ訪れていない。あの戦争のこと、「ＬＣＴ爆発事件」のことを伝えられずに亡くなった方、いまだに話すことが出来ずにいる方もたくさんおられるだろう。今回刊行されるこの記録集が「真の平安」を今こそ本当に実現するための礎になることを、当事者の方々や、母から託された私も切に願っている。

73年前起きた伊江島の記憶

山城 賢栄 （83才）

　　　光陰矢の如し歳月の流れは早いもので73年前の1948年8月6日は朝から透き通る様な青空で夏の暑い日であった。ウプグチからナーラ浜迄の浜辺の白砂の海岸線は一段と眩しく壮大な絶景であった。

　　　新波止場では、何時もの様に米軍の爆弾処理作業が行われていた。爆弾集積場から爆弾を積みトラックで運びLCTに積み替えて残波岬沖に投棄されたと聞く。LCT爆弾が満載され出航予定であったが干潮の為、LCT本船は座礁して潮の満ちる迄待機していた。突然に積載の爆弾が一瞬にして爆発、107名の尊い命が奪われ約100名余の負傷者、家屋の全焼8軒と戦後最大の爆弾爆発事件が73年前に起きた。残された遺族、負傷した人々の悲しみと苦しみ続けた忌まわしい大惨事が人々の脳裏から消え去ろうとしている。

　　当時私は小学校5年生、夏休みはLCT近くの浜で海水浴するのが日課であった。前日に隣のナガンニン屋の長嶺緩賢先輩から明日は旧盆前の大潮だから、貝を採りに行こうと誘われていた。厳しい家計の中からお袋が捻出して買ってくれた前々から欲しかったミーカガニ（ゴーグル）を手にうれしくて胸が躍り、朝9時頃から新波止場に出掛け潮が引く迄の間、ウプグチに接岸している米軍爆弾輸送船LCTの近くで遊んでいた。いつもと変わらずLCTへ爆弾積み込み作業が行われていた。潮が引き始めた頃新品のミーカガニをして海に入り泳いで沖のリーフに渡り貝を採って戻り、又LCTの近くの砂浜で遊んでいた。暫くして本部町から連絡船が入って来た。その時緩賢先輩が賢栄、帰ろう、帰ろうと手招きして先に歩き出したので私も小走りで後に付いて家路を急いだ。（今にして思うと、もしあの時に緩賢先輩が帰ろうと声を掛けてくれなかったら、LCTの近くで遊んでいて爆発現場でお陀仏になって今頃この世に存在して無かったと思う）私がマーミンヤ（上間家）の前に差し掛かった時、緩賢先輩は既に100m先の農協コンセット建物（現在ファミリーマート）前十字路を右に曲がった。私の帰り路は真っすぐなので先輩に追いつく事をやめて歩みを緩めた。その時突然ドカンと耳がつん裂ける様な大きな音が背後から聞こえ目の前の空が一瞬真っ赤になった。暫くして気が付いた時には道端の草むらに倒れていた。爆風で吹っ飛ばされて意識を失っていた様である。意識を取り戻して立ち上がり周囲を見ると私の倒れた直ぐ傍らにLCTの大きな破片が落ちていた。手押し車に身を寄せている人が居た。新波止場の方を見たら再度黒煙が空高く舞い上がったので又爆発かと思い、とっさに木の下に隠れた。後で分ったがあの黒煙は住宅の火災だったと聞いた。爆風の衝撃を受け動揺のあまり痛みも感じる余裕もなくとにかく家に向けて歩き出した。裸足なので道路一面に降り注いだ爆弾の破片を踏んでしまい足裏に火傷して歩く時痛みを感じた。家にどの様に辿り着いたのか記憶が定かでない。トタン葺きの我家は爆風で傾き、入口の戸が開かなくなっていた。ふと足を見ると出血しているのに気付いた。庭のヨモギの葉っぱを採って潰して傷口に当て止血した。その時の傷跡は今も残っている。その頃お袋は用事で山々（西崎）に出掛けていた。爆発音と共に潮柱と黒煙が空高く舞い上がるのを見て無我夢中で家に帰ったとの事、無事の息子を見て安堵するお袋、親子抱き合って泣いた事が今でも鮮明に脳裏に残る。翌日新波止場に行った。昨日の昼見たウプグチのあの真っ白な砂浜が爆弾の破片や黒く焦げた死体、肉片が一面に散乱、どす黒い砂浜に一変していたのが鮮明に目に浮かぶ。

　　理不尽なLCT積載爆弾の爆発、大惨事により、亡くなられた107名の方々のご冥福を祈る。

LCT爆発事件で大怪我！生き残った

崎 浜 秀 雄 （81才）

爆発したＬＣＴ1141には貝採りの帰りによく行っていました。
それは近くに住んでいた内間盛太郎兄さんがコックとして働いていたからです。採ってきた貝やウニとＬＣＴの食べ物などと物々交換もしていた。また、兄の秀憲、秀良と私はＬＣＴでコーヒーを飲んだり軽食をよくご馳走になった。

　ＬＣＴが爆発した８月６日は夏休みで兄達と私はタンク舟で沖のリーフに渡り貝やウニを採りに行った。その日に限ってＬＣＴには行かなかった。沖から戻って浜に上がりＬＣＴを左手に見てウニを割って食べようとした時に突然米軍ＬＣＴが爆発した。私は爆風を左側から受けたが、怪我したのは右側の肩と首とあばら骨3本骨折した。少し当たりがずれていたら首が吹っ飛んでいたかもしれない。とっさに浮桟橋の陰に隠れようとした時にやられたかも知れない。一緒に居た兄の秀憲、秀良は無傷であったのは奇跡だ。爆発事件以来、私はなぜかウニは見たくもないし、食べたくもない。私はその時の爆発音も覚えていないし、どんな怪我をしたのかまた、痛みも全く覚えていない。意識のないまま兄におんぶされ家に向かう途中の十字路近くで一瞬意識がぼんやり戻ったがまた意識もうろうの状態が続く。私は口から出血もした又、喉や肩あたりも傷を受けている。母は傍らで泣きながら、もう助からないと叫んで居た。私は意識が薄れたり戻ったり、ぼんやりした状態であった。家の近くの診療所へ兄達が連れて行った。すぐに処置すれば助かりそうな怪我人を優先して診てくれたのではないか。被災者の3番目に応急処置して貰った。そして直ぐに米軍機でコザの病院に運ばれ、ちゃんとした処置を受け数ヶ月間入院した。その後1年余り通院した。怪我で首が傾き加減で右肩が下がっていた。鏡の前で姿勢が真っ直ぐになるよう努力もした。写真には多少傾いた姿が写る。子供の頃ヨーゲーと呼ばれた。私は気にしない様に心掛けたが、でも悔しかった。特に悩んだのは20才を過ぎた頃であった。結婚の事も考えたりしてＬＣＴ爆発に依って負った怪我に対して落ち込み、凄く悩んだ。若い頃は左耳の後ろの怪我で首が歪み右胸肋骨損傷の事がかなり精神的に負担があり体の劣等感に参っていた。長い間傾き加減の人生だった。結婚してからあまり気にならなくなっていた。いつの間にか〈ヨーゲー秀雄〉という愛情表現もされ人生は大きく変わった。ＬＣＴ爆発事件を殆ど忘れかけていた。意識して忘れようとは思っていない積りだ。しかしあの嫌な忌まわしい出来事を思い出したくない気持ちが強く記憶から消そうとする傾向になったのではと思う。今、事件の事を話していると、あの場面が自然に目に浮かんで来て爆発した時のリアルな場面が浮ぶ。あの悲惨な状況を思い出すと胸が痛く穏やかではない。事故に遭った運の悪さに嘆き苦しんだ一方、あの時、あれだけ瀬死の大怪我を負っていながら周囲の皆さんのお蔭で困難を乗り越え生き延びて今がある。という葛藤がある。しかし今考えれば、運の良い事と悪い事は紙一重であったと思っている。私はたまたま運が良くて怪我を克服して今まで生きてきた。私を温かく支えてくれた周りの方々にいつも感謝している。今まで怪我の事は忘れたいという気持ちが強かった。だから自分から進んで話す事は無かったし、一生話す積りも無かった。最初、聞き取りしたいとの申し出に対し断って来たが何度か尋ねて来てくれたので承諾した。承諾した後から暫く気が重く負担に感じていた。しかし私は苦いＬＣＴ爆発事件を体験した一人として事件を風化させてはいけないと考え、私の苦い記憶を記録として残すべきだと思うようになった。今、話さないとＬＣＴ爆発事件は立ち消えになる。と思い直し話す決心をした。話しているうちにあの時の光景が浮かんでくる。「嫌ですね」。語り始めると、亡くなった被災者や負傷した方々への思いや気持ちが強く感じられてその方々の為にも、私は語らなければとの思いから自分の体験を述べた。思えば、大戦直後の爆発事件だけに、報道も事件としても大きく取り上げられる事も無くちゃんとした補償も無く、退院後の医療費の面では両親に負担を掛けたと思う。その後の治療費等の補償も無く不満が残る。しかしこれまで私を温かく支援、見守って頂いた周りの多くの方々に感謝すると共に亡くなられた方々のご冥福を心からお祈り致します。

「父親安田亀栄（仲田）」を語る

米 須 信 子　（81才）

1948年8月6日、伊江島米軍爆弾輸送船ＬＣＴ爆発事件が起きた。

死者107名負傷者約70余名を出す大惨事があった。死者の中に私の 父親安田亀栄（仲田）も含まれている。当日の午後、亀栄はいつもの様に伊江島へ米軍払い下げ品を買う為に瀬底島から本部町浜崎に渡り更に伊江島行きの連絡船に乗り換えて伊江島に渡った。

父親亀栄が乗船した連絡船が丁度伊江島に到着した夕方5時過ぎに大きな爆発音が伊江島の方向から聞こえた。

その時、私は家に居た。兄の富一はすぐに隣の高い木に登り大きな声で伊江島に火が上がり真っ黒い煙が見えると叫んだ。伊江島に火が上がっていると言う息子の声を聞いた母親カマドは大きなお腹を抱え気が動転してどうしよう、どうしようと騒ぎ出した。親戚の方が直ぐにサバニを手配して瀬底島から伊江島に渡った。既に日が暮れて夜になり爆発した現場は暗くて何も見えない、親戚の人たちがサバニに乗り父を探したが、父亀栄を見つける事は出来なかったと聞く。

そこには姿・形も残っていないバラバラになった遺体が一面に浮いているだけだった。

49個の石ころだけ風呂敷に包み持ち帰った、そしたら兄の富一が泣き出し「これは、おとうではない」と石ころを投げ出していたのを覚えている。

生前の父亀栄は映画で見る医者ベンケーシーを思わせる様な風貌で、大変心優しい人情味溢れる人柄は誰からも愛され大人や子供達のヒーローでもあった。父亀栄が健在の頃、戦後の瀬底島の復興を願い、貧しい人達の為に我が家で小さな紡績を営み、村の若者や女工さんや女中さんが何名もいて私達はお嬢さんであった。女工さん達は帽子・ネックレス・ハンドバッグ・アダン葉のゴザ等色んな工芸品を作り人々を喜ばせた今でいえば社長さんですよね。戦後の復興を願いただひたすら世の為、人の為に働いていたような気がする。瀬底小・中学校に建設材料を寄贈する等島にはなくてはならない人であった。こんな世の為、人の為に尽した人が、この若さで天国に引き取られる事は神も仏もない。とても悲しい思いをした。爆発事件で大黒柱の父亀栄を失くしてから我が家の生活は天と地がひっくり返った様に、それは奈落の底かと思う様な苦しい日々が始まった。母カマドは畑仕事の傍ら日雇い労働に出たり、鉄くずを拾い集めて少しでも私達のためにお金を稼いでくれた。

ヨイトマケの唄が私達の境遇と重なります。幼い私達は母を少しでも助ける為、隣近所の子守に行き、特に姉の梅子（幼名）は瀬底島から遠く離れた大宜味村に住込みの子守として行ったのが本当に不憫であった。兄富一は出稼ぎに行った。妹達は幼かったから父亀栄の記憶は多分薄いでしょう。下の妹末子は爆発事件当時母親カマドのお腹の中だったので父亀栄の顔は全く知らない。父亀栄が生きていた証に私達がいる。そして母親カマドが必死に守ってくれたお陰で今の私信子、姉妹、沢山の子や孫が居る。それを思えば父亀栄を誇りに思う。父亀栄が亡くなった後、瀬底島の人達が銅像を建立する話もあったが実現しなかったのは残念ですが苦しい時代で皆んな日々の暮らしもままならない時であった。そのことを語り継いで残していけたら悔いはない。天国の父母は仲良く明るい処にいると思う。安らかにお眠りください。伊江島米軍爆弾輸送船ＬＣＴ爆発事件で尊い命を失った107名の皆さんのご冥福を祈る。

伊江島LCT爆発事件から73年　父安田亀栄（仲田）を語る

座間味　末子　（73才）

　1948年8月6日、父（安田亀栄享年39才）は商売で本部町浜崎から連絡船に乗り伊江島に渡った。波止場で乗客が全員下船した後、爆弾を積んだＬＣＴが荷崩れを起し突然爆弾が爆発して父は帰らぬ人となった。

　その日、母（カマド）に「伊江島に集金があるから一緒に行こう」と父が誘ったと後から聞いた。母のお腹に私がいて身重のために断った。もし母が父と一緒に伊江島に渡っていたら父母も私も一瞬にして亡くなっていたでしょう。商いのため持ち出した全ての有り金は父親と共に飛び散り消滅した。翌日から我が家の生活はどん底となった。伊江島のＬＣＴ爆発事件がなければ我が家は、戦後とは言え家族9人が揃って本部町瀬底島で幸せな暮らしをしていたと思う。当時、父は手広く事業をしていた。何名もの人を雇い、その中に伊江島からも二人のお手伝いさんも来ていたそうだ。大黒柱を失った母は途方に暮れ、7人の子供を抱えて大変な苦労をした。父が亡くなって20日後に私が生まれた。私は父親に抱かれたこともなく、写真が無いため顔も知らない。母は私が父の生まれ変わりだと信じて気丈に働いた。昼は日雇い労務や農作業、夜はムンジュル笠を作るなどして生計を立てていた。

　父が亡くなってからは毎年3月3日には海辺で浜スーコー（焼香）をし、家族親戚で供養していた。皆で父の話をしている時、伯母が海に入って酒を撒き、「亀栄戻って来い」と大声で叫んでいた情景が記憶に残っている。家族は皆、父が海で亡くなったと思っていたが数年前に、関係者の話から父は連絡船から下船した直後にＬＣＴの爆弾が爆発し、亡くなったと分かった。

　瀬底島での生活は苦しく、父親が亡くなって13年後、一家は島を離れコザ市に移り住んだ。知らない土地での借家生活は大変な苦労もあった。移ってから1年余りして、瀬底島に残したままの我が家を移築して住みたいと願う母の強い思いに、大工の上間堅信さんと島人が協力を申し出てくれた。瀬底島の木造瓦葺の家の瓦、屋根の材料、柱、戸板や床板等、一つ一つを丁寧に解体し、番号を書き込みして連絡船で浜崎に渡し（この作業だけでも大変な事であった）そして全ての材料をトラックに積み込んで遠路コザ市に運んだ。一本一本柱を立て、屋根の組み立て、瓦を乗せ、床板、戸板、雨戸と一連の組み立て作業は完了した。瀬底島の家がコザ市に移築が実現した。この移築作業は当時としては並大抵の事ではなかったと思うが、母カマドは住み慣れた瀬底島の家をコザ市に移築して住みたいとの強い願望が瀬底島の人々を動かした。

　瀬底島の人々は常日頃から隣近所助け合いユイマールの精神で結束力が強く、それが移築の原動力となった。当時移築に携わった方々に感謝致します。第二の故郷コザ市に家が建つと言うことは母にとってどんなにか嬉しかったことか。安慶田小学校の門のすぐ横に建った家の半分は貸家にし、増築して小売店も始めた。その後、母を頼って島から何軒か引っ越して来た。いつの間にか島人が我が家で下宿することになり、やがて瀬底村と言われる様になった。コザ市に移住してから少しは生活にゆとりが出来た。瀬底島から訪ねて来る人も多くその人達を温かく迎えた。

　世話好きな母だったので訪ねて来た人達を何日も滞在させたりしていた。

　現在、母は伊江島を見渡せる墓で先に逝った父と二人仲良く眠っている。

　母（享年92歳）は生前に、伊江島が見える瀬底島の北海岸に墓を建てることを望んでいた。

　安田亀栄・カマドから生まれた子供・孫・ひ孫は107人に広がった。爆弾で肉親が死ぬ理不尽な事はもう二度とあってはならないと願う者です。

伊江島ＬＣＴ爆発事件犠牲者祖父安田亀栄（仲田）を語る

屋富祖　功　（52才）

　1948年8月6日に伊江島で死者107名の戦後最大の爆弾爆発事故が起きた事は、我々世代ではあまり知られていない。遺族の私でさえ知らなかった。それを知ったのは、つい最近の5年前です。私の両親とも本部町瀬底島の出身で、昭和40年頃に住み慣れた瀬底島を離れ本島に移り住んだ。私は昭和43年に旧具志川市川崎で産声をあげた。我が家は2男4女で両親と8名の大家族です。私の両親は朝から晩まで、6人の子供を育てる為に必死に働いていた記憶があります。私はそれが普通だと思っていた。自分が結婚して我が子を育てる身になって初めて親の苦労に気付く事になった。私はひたすらに働き詰めの両親の後ろ姿を見て育って来たせいか何時の間にか私自身も汗水流して働くのが当たり前だと自然に体に染み付いていた事に最近気付いた。働くのはとても楽しいものです。

　さて、本題の伊江島ＬＣＴ爆発事件について遺族の一人としてお話をします。

　私の母梅子（童名：うめこ、本名・屋富祖安子）は瀬底島の安田亀栄・カマドの2男5女の長女として昭和14年に生まれた。母梅子の父亀栄は私の祖父になる、祖父亀栄は働き者で知られ米軍の払い下げ品等の商いをしていた。作業員数名を雇い生活は凄く裕福だったと聞いている。

　しかし1948年8月6日、いつものとおり商いの為に本部町浜崎から伊江島行きの連絡船に乗船し、伊江島に到着して連絡船を降りた頃、西側50mに接岸していた米軍ＬＣＴに積載したロケット弾125トンが突然爆発した。祖父亀栄はタイミング悪くその爆発により帰らぬ人となった。安田家は何一つ不自由なく平穏な生活をして来たが、突然の爆発事故により大黒柱の父親亀栄を失ってしまった。その日を境に崖から谷底に転がり落ちるかのように苦しい生活を余儀なくされる事となる。祖父亀栄が亡くなった時、祖母カマドのお腹には5女を身籠っていた。事件から20日後の8月25日に末子（座間味末子）が生まれた。兄妹では末っ子の顔を見る事もなくまた、抱っこも高い高いもすること無く祖父亀栄はこの世を去ってしまった。

　祖母カマドは悲しい中、7人の子供を育てることになり生活は苦しくなった、少しでも収入が無ければ生きていけないと祖母カマドは、泣く泣く長女の梅子を大宜味村のある家に住込みで子守りに出す事となった。私の母梅子は瀬底島の親兄妹と別れ、瀬底島を出て大宜味村に丁稚奉公に出た。母梅子は当時12歳でまだ義務教育を受けなければならない年頃であった。私は、母梅子が親兄妹の住む瀬底島から遠く離れた見知らぬ土地に丁稚奉公に出されて一人ぼっちで寂しく働く母梅子の姿を想像する度に涙が止まらなくなる。

　思い起こせば、私が小学生、中学生の頃に母から宿題を教わった記憶は無く、学校への提出物等も全て姉達がやってくれた。母梅子が幼い頃に丁稚奉公に出てまともに教育も受ける機会が奪われた事は後々になって知る事になり、母梅子が私に勉強を教えてあげられなかった訳が最近理解できた。しかし、まともに漢字も書けない母だったが、仕事は祖父亀栄譲りで、トップセールス・ウーマン。そんな母梅子も57歳の若さでこの世を去り私達、子や孫を温かく天国から見守ってくれている。結びに、伊江島ＬＣＴ爆発事件は伊江島に残された米軍大量未使用爆弾の処理作業中に起きた戦後最大の戦争被害だと考える。米国からわずかな見舞金が出たけれども、日本政府からはまともな補償もなされてないと聞いている。日本政府は、今後金銭的な補償に加えて、恒久平和の約束を誓うべきです。ＬＣＴ爆発事件の犠牲となった107名の方々のご冥福を祈りします。

LCT爆発事件で亡くなった兄栄一郎を語る

内 間 保 廣 （西江上出身　80才）

　米軍ＬＣＴ爆発事件が起きた1948年8月6日、私の兄栄一郎はその時、17才で米軍の通訳として働いていた。どうして英語が話せたのか分からないが、多分独学で身に付けたと思う。時々兄は米軍の払い下げ物資や食料を貰って来ていた。そのことを母はとても喜んでいた。栄一郎は母にとって自慢の息子であった。ＬＣＴ爆発事件が起きた当日、兄栄一郎は城山の後方の弾薬集積場からトラックでＬＣＴに弾薬を輸送する作業の通訳として勤務していた。事件の1週間前の8月1日に妹春代が生まれた。自慢の息子栄一郎を亡くした母はショックで母乳が出ないものだから、妹春代は隣のおばさんの乳を飲んで育った。私は爆発事故のあった日の午後、家の近くに大きな木があって隣近所の同級生2人と木登りして遊んでいた。その時、ボボーンと大音響が聞こえた。私の家は港から遠く離れた西江上だけど、何だろうかこの音はと思った。7才の私には何が起こったのかサッパリ分らなかった。しばらくして家に帰ると母が声を上げて泣いていた。しかし7才の自分には兄栄一郎が亡くなった事について状況を把握出来なくて母が泣いている事が何なのかも理解する事が出来なかった。ただ姉苗子が一生懸命母の肩を揉んで慰めていた。そのことだけは昨日のことの様に鮮明に記憶している。多分2日後だと思うが、父が私に「一緒にＬＣＴ爆発現場へ行って、兄栄一郎の遺体か体の一部があるかも知れないから探しに行こう」と言った。私は、「はい」と言って朝早く父と一緒に爆発現場に行った。爆発現場の波止場に来てみたら、見渡す限り真っ黒に焦げた遺体、千切れた手、足が散らばっているのが目に入ってきた。父は「足だけ持って来い」と言った。辺り一面に人間の足とか手とか内臓等が散らばっていた。しかし兄の足らしきものは見当たらなかった。父が、「足が見つかったならばそれだけ持って来い」と言ったのは、兄栄一郎の足の親指と父の親指のつめは瓜二つで非常によく似ているとの事であった。私はあちこちから足の指を探して父に見せたら、「いやこれも違う」と、約2時間余り周辺を探し回って似たような足の指を持って来て父の足と見比べてみたがどれも一致するのが無く、結局見つける事は出来なかった。父は「もういいよ、これであきらめよう」と言ってテントゥル（サンゴのかけら）を拾ってお墓に持って行く事にした。それは確か8月8日の事であったと思う。現場で兄を探している最中私の頭の中は混乱していた兄が亡くなった事を受け止める事が出来ず、父が「千切れた足の指を探して持って来い」と言ったがその意味が呑み込めなかった。7才の私には何事が起こっているのか把握出来なくて悲しい感情とかは無かった。しかし、母は栄一郎を亡くした悲しみに打ちひしがれて年中泣いていたのが脳裏に焼き付いている。その時の母の事を今でも思い出します。父が幼い私を爆発現場に連れて行き、兄の遺体か体の一部でも見つかればとの一途の望みをかけて親子2人で多数の遺体や破片の散乱する中を歩き回った。その時に私が目にした真っ黒に焼け焦れて千切れた肉片等は遺体とは映らなかった。ただその中に兄の遺体、体の一部、足の親指がないかと一心不乱となって探し回った事だけを非常に鮮明に覚えている。あの当時、栄一郎には許嫁の大城和子さんが居て兄の子を身ごもっていた。兄が亡くなった翌年に女の子が生まれた。父は、栄一郎は亡くなったが初孫、形見が出来たと喜んだ。父は和子さんの産後、ニワトリを潰してあげていた。孫は和美と名前を付け春代の妹として入籍した。和美は未だ幼い頃、和子さんの姉が預かり育てた。爆発事故が起きる直前に「貴方の兄栄一郎がジープに乗ってＬＣＴの方に行ったよ」と教えた女性が居た、名前を聞いてなかったので何処のどなたか分からないままである。ある日の朝、新聞にＬＣＴ爆発事件の記事が掲載されていた。直ぐに目に飛び込んだ、読んでいるうちに、「待てよ、ひょっとしたら私の体験も大事かも知れない、私は現在76才、今のうちに私の体験を話しておかないと死んだら何も残らないから」と家内に話したら家内も納得し、「是非この機会に話した方が良い」と言ってくれたので亡くなった兄栄一郎のことをを語ることにした。

米軍LCT爆発事件を語る

知 花 幸 子 （83才　那覇市在）

　その日、連絡船が着く浮桟橋の東側のシュグチばた（波打ち際）で上着を脱ぎ、メリケン袋で作ったパンツだけで浮桟橋の上から走って飛び込みをして友達と海水浴をしていた。その時は小学生だったから上半身裸でも恥ずかしいとも何とも思わなかった。私の家の前から海水浴の場所が良く見えたので母親が「ナンジヤケ アスィドゥルバーガ、グルサ、ヤンカティ、アーティフンニ（何時まで遊ぶのか早く家に戻りなさい）と言ったが私は潜って隠れたりして帰らなかった。その時家には母と姉の静子、弟の忠雄が居て姉は昼寝していた。夕方の西陽を避ける為東側の方で昼寝していた様である。伊江島の豚は我が家から始めたというぐらい豚をたくさん飼っていた。もう5時になるから、豚の餌を準備するので材料の魚を買う為に静子は昼寝しているのを叩き起されてアポーナン屋（下門）に魚を買いに行っていた。アポーナン屋のおばさんが計量をしている間姉静子は腰掛に座っていた。その時バーンと大音響がしたという。爆発の瞬間、海に居た私の目の前がピカッとした後真っ暗になった。どうしていいか分からない。爆発後すぐに海から出て脱いでいた上着を取り駆け足で家に帰った。気づいたらパンツ1枚で上半身裸であった。そして、又爆発が起こるかも知れないという事で母が布団を取り出し頭にかぶせて具志の「こんこんガマ」まで走り避難した。しばらくして静かになったので大丈夫だろうと家に戻った。そしたらコンセットの屋根を突き破り破片が床に落ちていた。そこは、姉静子が昼寝していた所であった。もし買い物に出掛けず昼寝していたら姉静子は破片が直撃していたであろう。買い物に出掛けて実に危機一髪で難を逃れた事になる。また、自分が走って家に逃げ帰った後を見たら破片が辺り一面に散らばっていた。私は良くも破片にも当たらず、踏む事も無くよくも家に辿り着いたなあと実に奇跡的だとつくづく思った。それから爆発のあった現場に行ってみた、いつも見ている青い海がドス黒くなっていて、私たちが海水浴していた白い奇麗な砂浜が一変していた。ススで黒く焦げた遺体や肉片が足の踏み場もないほど散乱しているのが目に飛び込んで来た。遺体の中には体の一部が千切れ、また黒く焦げた体が風船の様に膨れ上がり特に母親と思われる人の大きく膨らんだお腹の上に子供が抱っこされた状態は爆発の瞬間母親として無意識に我が子を守ろうとしてああいう姿勢になったのではと思った。現場を見た瞬間私はぶっ倒れそうになった。とにかく顔も識別出来ない程真っ黒に焦げて腫れた体の状態。あの情景が強く印象に残っていて今でも時々思い出されその事がトラウマとなっている。足の切れたお爺さんが居た「何処の誰かねー」と思った人は、大伯父さん（上間徳正）だと後で分かった。本部町（当時は本部村）の親戚から昨日伊江島に渡った大伯父さんの安否を問い合せてきたので父親達は現場に行き遺体を確認した。大伯父上間徳正は、自筆の福禄寿の掛け軸をしっかりと握っていた。大阪から父の上間忠良と叔父の上間喜良（マーミン屋）に会う為に伊江島に来て爆発に巻き込まれ亡くなった。家のすぐ隣のイチグマ（一熊）ン屋とマーミン屋のハヤブチ（茅葺）屋は破片が飛んで来て火災となり全焼した。私の家はコンセットだったので焼ける事は無かった。1945年4月16日に米軍が伊江島に上陸して空襲が激しくなる前の3月頃、本部の親戚を頼りに浜元に疎開した。疎開先には父忠良の従兄弟が居て私達の為にカルスト台地の岩の中に小さな壕を掘ってくれた。そこでしばらく避難生活をした。それから島に戻ったのは1947年3月頃その時私は小学校3年生だったと思う。私の実家（1941年に父が苦労して造った赤瓦の家）は跡形も無く、とても悲しい思いをした記憶がある。米軍のブルドーザーで敷き均され屋敷内には米軍のコンセットが建っていた。このコンセットに住む事になった。島に戻ってから1948年6月13日から3日間程、城山の後ろの方で爆弾が爆発炎上した時があった。その時東江上、東江前辺りの皆さんが近くの浜辺に避難に来てとても賑やかだった事を記憶している。それから、戦争は終った筈なのにアメリカ人ではなく色の白い外国人の兵隊がLSTに居た。何でアメリカと戦争しているのに色の白いとても奇麗な兵隊が居たので近くまで見に行った事があった。今で言えば韓流ドラマの俳優さんみたいな人が居た。彼らはそんなに長い間居なかったが確かに居た。「何故かねー、おかしい」と疑問に思っていた。73年前に起きたLCT爆発事件で亡くなられた皆さんのご冥福を祈ります。

米軍爆弾輸送船LCT爆発事件の記憶

金城正子　（79才）

1948年8月6日午後、伊江島で起きた事件です。
　当時私は6才で祖母と2人、新波止場（川平区）から東方に約1kmの阿良区に住んでいた。爆発が起きた8月6日は、晴天で真夏のうだるような大変むさ苦しい暑い日だった。

　陽が西に傾き、私は祖母の膝を枕にうたた寝していた。突然、ボボーン、ボボーンと耳をつんざく様な大きな爆発音にびっくりして跳ね起きた。木造のトタン屋がガタガタ大きく揺れている、壊れるのではないかと思うくらい激しく揺れた。

　祖母は、くぬうとぅやぬーやがや、またんイクサるやがやー（この音は何の音だ、また戦争なのか）と声を震わせ手も足も震えていた。祖母と私は恐る恐る家の外に出て爆発音の聞こえた西の方に目をやると空には真っ黒い煙がまるで入道雲の様に、赤い炎が空を焦がすようなすごい勢いで舞い上がっていた。生まれて初めて目にした恐怖の瞬間で、私の膝はがくがくと震え、とても怖かった事を記憶している。「あれは新波止場方面だ」と祖母は言った。

　しばらく家の前で西空に見える炎と黒い煙に目を奪われ、二人は立ち尽くしてしまった。

　どれ位の時間が経ったのか？幼い私にはその時何が起きたのか全く理解できなかった。それから、再び爆発音が聞こえる事も無く、舞い上がった黒い煙が薄らいで来た頃、祖母は私の手を引いて魂の抜けた夢遊病者の様に西の方向に歩き出した。歩きながら祖母の震えが私の手に伝わって来た。しばらく新波止場の方向へと歩いて行くと前方に大勢の人が群がり歩いて来る異様な光景が目に入った。だんだん近づいてみると、男の人が泣いて居た。背中には衣服も体も真っ黒に焼けた死体、男の人は祖母の親戚の叔父さんであった。背負っていたのは娘さんの喜屋武芳さんで、叔父さんは悔しくて声に出して泣いていた。芳さんは爆発現場に居合わせて太腿から切断され亡くなっていた。あまりにも悲惨な姿に恐怖のあまり幼い私は何が起きたのか知る由もなかった。

　自宅の居間で芳さんを前にして親類の大人達が泣いていた、母親の傍らで姉のかっちゃん（かつこ）と弟宗男の姉弟はうつむきだまって母親の顔をじっと見つめていた。私には何事がおきているのか、芳さんの死が理解出来ないでいた。6才の私が生まれて初めて見た光景であった。

　周囲の大人達の話だとアメリカ軍LCTの爆弾が爆発したとの事であった。

　当時アメリカ軍LCTが利用する「大口（ウプクチ）」と呼ばれる浜があり、隣接して村の連絡船の着く浮桟橋があった。8月6日も連絡船は本部町から島民や島に商売で渡る客を乗せて入港した。出迎えの家族も大勢来ていた。連絡船の乗客と出迎えの人達の大勢が巻き添えになった。

　一瞬にして107名の尊い命が失われた。

　芳さんは主人を戦争で亡くし、1人で2人の幼い子供を育てていた。その3年後、芳さんも米軍LCT積載爆弾の爆発でその犠牲になった。戦争で父親を失い、母親と3人で厳しい戦禍を潜り抜けて伊江島に戻り、これから新たな生活を始めた矢先に、突然母親までも失った2人の姉弟はかわいそうにも戦災孤児となってしまった。

　小さな島の大きな悲しみ、戦争と爆弾事件で2度も殺されたかのように思う。

　あれから73年になる現在も私の中では6才の時の怖い光景が脳裏に焼き付き、忘れる事が出来ない。1948年8月6日を忘れない。恒久平和を祈り107名の冥福を祈ります。

LCT爆発事件の犠牲者に親戚がいた

座　覇　光　子　（80才　川崎在住）

　本部町のＬＣＴ爆発事件の犠牲者2人の氏名が分かった。その内の一人脇田一男さんは叔母の主人であった事が分かった。私は2019年2月に那覇市繁多川在住の叔母、山川和子（旧姓座覇）さん（90才）を訪ね来沖した。長嶺さんが山川さん宅を訪問した際、「伊江島の出身だ」と告げると山川の叔母さんは本部町出身で学生の頃、目と鼻の先の伊江島の友人宅に泊まった事が何度もある。その話から始まり、それから約70年前の伊江島米軍ＬＣＴ爆発事件の話しが出た。本部町出身の脇田さんと国場さんの遺族探しを告げると、山川の叔母さんはＬＣＴ爆発事件が起きた1948年頃、渡久地18番地に住んでいた。隣に脇田の叔父さんが奥さんと息子の勝男と3人で暮らして居た。驚いた事に奥さんの千代（1910年生）さんは山川の叔母さんの従姉妹で良く覚えていた。脇田さんの近所だった山川の叔母さんの話では、鹿児島出身の脇田さんは本部町渡久地で「脇田洋服店」を営んでいた。脇田の叔父さんはいつも店先でミシンを踏んでいて使用人も数人いた。背広の仕立てを手広く引き受けていた。私は、この時初めて千代叔母さんが脇田さんの奥さんだった事を知った。そして脇田の叔父さんが亡くなったのは船の事故で亡くなったと聞いていたが、ＬＣＴ爆発事件で亡くなった事を初めて知った。私は急にＬＣＴ爆発事件が身近に感じた。山川の叔母さんは千代さんと従姉妹で隣近所、脇田さんと呼んでいたので苗字は知っているが名前まで覚えていない。はてさてどうしたものか？話している内に「そうだ田中英治に頼んでみよう。彼なら知っている筈だ」とその場で直ぐ教え子の田中さんに電話を入れた。山川の叔母は本部小学校の教員をしていた。田中英治さんの2軒隣に脇田洋服店があって脇田の叔父さん夫婦も息子の勝男も良く知っていたようである。脇田の叔父さんと言っていたが名前までは知らない。勝男とは一緒に遊んでいたので彼の名前はしっかり憶えている。私は田中英治さんが和子叔母さんに難題を持ちかけられて困っているだろうと思っていた。ところが何日も経たない内に朗報が入ってきた。脇田の叔父さんは洋服店を手広くやっていたので小学校に寄付をしていただろうと閃いたそうで、田中英治さんは、1982年3月に発刊した『本部小学校百年誌』を広げてみたら田中さんの予想した通り、寄付芳名録に「脇田一男」の記録があった。「脇田一男」の名前は今から84年前、1935年11月に発刊された本部尋常高等小學校50周年記念誌の寄付芳名録の中から見つかった。田中英治さんは、『本部小学校百年誌』の記念誌の編集部長を担当された。田中英治さんは「記念誌の編集を終えて」の中に「私たちが、追い続けていた幻の「本部高等小學校50周年記念誌」は在ペルーの先輩伊礼藤助氏より寄せられました。これにより、本部沿革の不透明部分や欠落が鮮明になりました。この50周年誌は本校第一級の歴史資料として、本誌の付録として加える事にしました。……去る大戦により全てが廃墟と帰し、まさに『無から有を生ぜしめる』という、私達にとって至難な課題への挑戦でした」と記述されている。その言葉通り、田中英治さんの尽力により、「闇の中から救われた被災者」として脇田一男さんが浮かび上がった。山川の叔母さんの本部小学校の教師時代の教え子の田中英治さんに脇田の事を相談した結果、私にとって突然、叔母の主人の身の上が判明し、思いもよらぬ親族の惨状を知る事になり、ＬＣＴ被爆慰霊碑に叔父脇田一男が刻銘された事に尽力された長嶺さんと田中さんに感謝します。そして、夫を爆発で亡くした3年後、脇田の千代叔母さんは息子の勝男と2人で兄を頼って横浜に来た。暫くして横浜から大阪へ行き、叔母は働きずくめで亡くなり、幸せとはいえない人生だった。そして息子は孤独死だった。夫や父親が生きていたら二人はもっと豊かな人生だったかも知れない。この爆発事件により夫婦がいずれかを亡くし、再婚を余儀なくされた方もいるかも知れない。ＬＣＴ爆発事件は残された遺族の人生を一変してしまう。生涯にわたって言葉では語れない人生が待っていた。ＬＣＴ爆発事件は被災者の身の上に子や孫につながる数奇な苦しい生活をもたらした。ＬＣＴ爆発事件から学ぶ事は戦争を起こさぬ事を誓いそして世の中がいつも平和である事を求めて行動すると確信した。

渡久地の脇田さん、東の国場さんの名前が判明

田 中 英 治 （85才 本部町大浜）

　私は、約30年前の新聞記事「弾薬運搬船が爆発した伊江」（竹富町大原・平田一雄 56才）の切り抜きに記述されたLCT爆発事件で亡くなった渡久地の脇田さん、東の国場さんの名前を探してくれと那覇市在住で恩師の山川和子先生から突然電話で依頼された。脇田さんについては心当たりがあった。確か私の1軒隣で洋服店をしていた脇田の叔父さんの事だと直ぐ分かった。しかし東の国場さんについては記憶がない。脇田の叔父さんは奥さんと1人息子の勝男さんと3人家族で、勝男さんは先輩でお山の大将的存在で隣近所のよしみで一緒に遊んでいた仲だったので良く憶えている。脇田の叔父さんが事故で亡くなった後、横浜へ引っ越したのを聞いてはいたがその後の脇田さん家族の消息は不明であった。

　脇田の叔父さんは私の父が営む田中文房具店の隣の赤松屋、その隣で脇田洋服店を経営していて職人が2、3人いて忙しい店であった。「昭和15年あの頃の姿　仲宗根貞夫編」をめくってみたが脇田さんとはあるが名前は出てこなかった。

　私は「本部小学校百年誌」の編集を担当していた。その時に百年誌の中に「本部尋常高等小学校50周年記念誌」（1935年11月発刊）も織り込んでいた事を思い出した。この50周年記念誌というのは、100周年記念誌を作成する段階で確か50周年式典が行われたという事であったので記念誌も発行されていたであろうという事が話題となった。県内でも10指に入る程の大きな学校である。「がーじゅうのむとぅぶんちゅ」が記念誌を作らなかったことはなかろうと私は県内外のあちこちの本部町関係者に当たったけど戦災で失われて誰の手元にも無かった。それで南米にあるのではないかという事で南米のつてを頼りに探していたところ「実は、南米に50周年誌があったんですよ、とにかく我々にとっては凄い発見ですよ。歴

史をひっくり返す様な大きな出来事で、この中には歴代の校長先生や学校の沿革史等があって、我々の記録に欠落していた校長先生も載っているんです。」そういった事で歴史をひっくり返す様な表現をしたのです。追い続けていた幻の「本部尋常高等小学校50周年記念誌」が地球の裏側のペルーに存在する事が分かりペルー在住の先輩伊礼藤助氏から送られて来た貴重な資料である。

　「脇田さんは大きな洋服店ですから寄付していたであろう」と閃いた私は、早速「本部小学校百年誌」を広げてみると予想した通り、寄付芳名録に「脇田一男」の名前が目に飛び込んで来た。しかもその「寄付芳名録」というのは「本部尋常高等小学校50周年記念誌」（1935年11月発刊）に記載されていたのである。84年前の記念誌の中に「脇田一男」の名前を見つけた時、私は70年前の脇田の叔父さんの記憶が蘇り目の前に現れたような錯覚を覚えた。なんと表現して良いのか分からない程に感動した。早速恩師の山川和子先生に伝えた。先生は身内の名前が判明した事を大変喜ばれ感謝していた。

次に東の国場さんについて

　国場さんは戦後改姓して山城良章となる。山城良章さんが亡くなった後、脇田洋服店が横浜に引越した跡に越して来たのが良章さんの長男の良永さんが山城書店を経営していたが、亡くなってその後良永さんの長男の一郎さん（良章さんの孫）が継いで渡久地に住んで居る事が分かった。

　私は良章さんの4男の良金さんとは同級生であった。長嶺さんから話を聞いた時に良章さんの事が連想出来た。そして教え子でもある一郎さんの祖父良章だと確認出来て、やはり山城良章さん（国場）がLCT犠牲者の1人として判明する事になった。

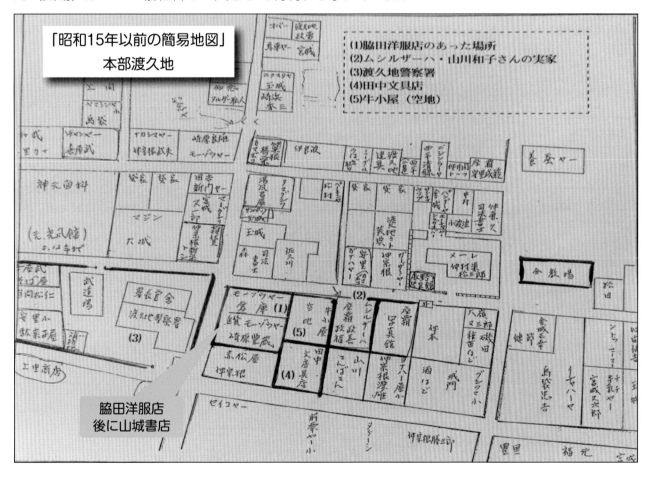

「昭和15年以前の簡易地図」
本部渡久地

(1)脇田洋服店のあった場所
(2)ムシルザーハ・山川和子さんの実家
(3)渡久地警察署
(4)田中文具店
(5)牛小屋（空地）

脇田洋服店
後に山城書店

聞くところによると、国場良章（後に山城）さんは、ＬＣＴ爆発事件で亡くなった頃は本部町の東に住んでいた。国場さんが伊江島に行ったのは馬、牛や豚等の買い付けに出掛けた様である。

　珍しい事に脇田さん家族が引っ越した跡に国場さんの長男の山城良永さん（旧姓国場）の家族が越してきた。簡易の地図は「昭和15年以前の本部渡久地の屋号別あれこれ」の抜粋ですが、（１）戦後脇田洋服店で（２）ムシルザーハで山川和子（旧姓座覇）先生の実家は、ござを作っていたので屋号がムシルザーハ（３）渡久地警察署、（４）田中文具店（私の実家）、（５）牛小屋となっていた。この簡易地図は戦前の地図で脇田洋服店は戦後に越して来たのでそれ以前はモーゾウヤー崎原豊蔵さんが居た。私の実家の隣、赤松屋はその場所に現存する。長嶺さんが探していた脇田一男さん、山城良章さん（旧姓国場）２人が珍しく私の隣近所であった事の巡り合わせにびっくりすると同時に伊江島ＬＣＴ爆発事件の犠牲者であった事を知る事となった。脇田一男さんは洋服店を営み職人も２、３人雇い家族は裕福に暮らしていたが、一男さんを亡くした家族のその後は大変であった事も分かった。それから、新聞記事の平田一雄さんとは親しい間柄で何度も竹富町大原を訪問し、酒を酌み交わす機会があった。しかしＬＣＴ爆発事件に触れる事は無かった。

　私は、30年前に平田一雄さんの投稿した記事の「渡久地の脇田さん、東の国場さん」を那覇市に住む恩師の山川和子先生（旧姓座覇）から二人の名前が分からないからちょっと調べて貰えないかと電話を受け、引き受けたものの、はてさてどうしたものか？と思案している内に脇田さん、国場さんの手掛かりがどんどん出て来た。生前、平田一雄さんは脇田さん、東の国場さんの事を気にしていた、何とかしてくれと平田さんが天国から導いてくれたんだと思う。

　71年前に起きたＬＣＴ爆発事件で犠牲となった2人の方について不思議な縁で恩師の山川和子先生（旧姓座覇）、川崎在住の座覇光子さん、山城良章さんの孫一郎さん（教え子）、島袋和幸さん、長嶺さん達との繋がりと協力によって忘れかけられていた2人の事が明るみに出てきた結果「脇田一男さん、山城良章さん」の名前を伊江島のＬＣＴ被爆慰霊碑に刻銘出来た。皆さんの協力に感謝します。

以下は長嶺福信が語る

　「2017年８月、30年前の新聞記事を同級生の島袋和幸（東京在住）が持って来た。伊江島のＬＣＴ慰霊祭の帰り2人で本部の資料館と図書館に寄って色々調べ始めたのがきっかけで、その後私は平和の礎に2人の刻銘がないか？脇田さん、国場さんの関係者を尋ねて本部町内を歩いた。しかし、渡久地に脇田姓は聞いた事は無い、湧田の間違いではないのか？と会う人達に言われた。暗礁に乗り上げた状態が暫く続いた。2017年、2018年の年末に川崎市鶴見の市民ホールで座覇光子さん達の主催するある展示会の一画に島袋和幸がＬＣＴ爆発事件の展示をした。和幸の誘いで2度参加した。その時まで座覇光子さんは自分の叔母さんがＬＣＴ爆発事件の関係者とは全く知らなかった様である。翌年の２月に座覇光子さんが那覇市在住の叔母山川和子さん（座覇）を訪ねた時に、脇田の叔父さんの事が話題となった。その場で山川さんが田中英治さんに「脇田の叔父さんの名前が分からないので調べて欲しい」からスタートした。本部方面を歩き廻って聞き取り調べて来たが何の手掛かりも見つからずにいたのが、田中英治さんは、本部小学校百年誌、本部町史、町民の戦時体験記等、数々の本部町の歴史書の編集責任者を担当されて豊富な情報量、人脈のお陰で私が3年余費やした課題を僅か数日間で見事に解決に導いて頂きました。田中さんにお会い出来た事、親切丁寧に教示下さった事に感謝の気持ちで一杯です。ありがとうございました。」

祖父「山城（国場）良章」を語る

山城 一 郎 （69才 本部町渡久地）

　田中英治さんによると、東の国場さんは私の祖父山城良章と判明。偶然にも、脇田さんの家族が本土に引っ越した跡地に私の父国場良永（良章の長男）越してきた。国場から改姓して父山城良永は山城書店を経営していた。現在は良章の孫の私が継いで本部町に在住。父良永は私が25才の時に亡くなった。父は祖父やその死について一切話さなかった。私が大学を卒業した頃だったと思うが、叔父さんに「おじいは伊江島のＬＣＴ爆発事件で死んだらしいね。」と聞いたら、叔父さんは「うーん」と言って口をつぐんでしまった、それ以上は話さないで黙ってしまい、話したくない雰囲気だったのでそれ以上は聞かなかった。私も結婚したばかりの時期だったので毎日の生活に追われてその後改めて聞く事はなかった。ごく最近、伊江島のＬＣＴ爆発事件が新聞に掲載されているのを何回か見て「ああ、伊江島でも動いているんだなあ、私の祖父の名前も慰霊碑に刻銘されているのかなぁ」と思っていた。かなり前に伊江島へ行った時に爆発現場だったというのは見たのだが、慰霊碑は無かったですね。

　先日、田中先生から話しを聞いてびっくりしたんですよ。田中先生が持って来た「米軍ＬＣＴ爆発事故」の件について竹富町大原在住、平田一雄さんが投稿した新聞記事に「渡久地の脇田のお父さん、東の国場のお父さん、浜元ガッパイ屋の母子3人が亡くなった」とあるんですね。これを見てとても感じるものがあって、この本を読み進めている内に胃が痛くなり始めて体調を崩した。今は良くなっていますけども、とにかく祖父の事は何も知らなかったものですから、兄弟、従姉妹、東の何名かに電話したんですけども誰も何も知らなかった。そしたら私の親戚に中村英雄さんという方が居らしゃるんですけどもこの方はＬＣＴ爆発事故の当日8月6日、浜崎から伊江島に向かう連絡船に乗った。連絡船は鉄板で出来た舟艇で船の後ろの方に乗った乗客がたくさん乗っていて全員立っていた船内はとても暑かったようです。船が港に着いたら順番に降りたらとてもやってられないという事で人波をかき分け一番先にさっさと降りて木麻黄林を駆け上がって土手を降りた途端に爆発したそうだ。それで中村英雄さんは全く無傷な状態だったそうです。中村英雄さんは船上で脇田さんとは初対面だったが脇田さんは「洋服の生地を調達の為に伊江島に行く」と言っていたそうだ。その時私の祖父との接触は無かったようである。

　祖父良章がＬＣＴ爆発事件で亡くなった時、翌日、祖父の遺体を引き取りには私の父良永と父の妹の旦那さんと2人で行った。祖父の遺体は浜辺に打ち上げられていたそうで、わりときれいな状態であったそうだ。私はその事を知らなくて、この本を読んで行ったら被災者の遺体は当然バラバラになっていると思っていた。早速、祖父の骨があるかどうか確認する為にお墓を開けてみた。お墓を開けるのに何もためらいも無かった。私の頭の中にはただ祖父の存在を確かめる事しか無かった。すると石が入った骨壺が2つあって、その隣に頭蓋骨の入った骨壺があった。当初は石の入っているのが祖父のだと思っていた。従兄弟達も同様に多分バラバラだから遺体は吹っ飛んでいて骨壺には石を入れたと思っていたようである。

　しかし私たちの勘違いである事に気付いた。それは私が小さい頃未だ幼稚園に行かない頃だったと思うが、その頃は火葬場がないから適当に遺体は土葬にするか薪で焼いていたと思う。かすかに覚えているが私の祖母と母と叔父さん3人と私で洗骨に行って骨を洗った記憶がある。泡盛で洗ったのか海水で洗ったのか覚えて無いですけど。人の骨を洗った事をはっきりと覚えている。幼かったけど人の骨だと直感した。

　だから祖父はバラバラになって無くて父と叔父さん2人で遺体を本部に運んだ後、埋葬したのか分かりませんが現在の墓に移した時に洗骨して納めたであろうと思う。火葬したら頭蓋骨等の形

は崩れてしまうが、骨壺に入っていた頭蓋骨はしっかりしていた。それでまぎれもなく私の祖父だった事を確信した。祖父は事件の時は60代だったとの事だが正確な生年月日は不明である。私の父は戦前は国場の姓を名乗っていたと聞く。祖父は牛とか豚等の仲買、家畜商をしていたと聞く、祖父の写真も無く情報等全く無かった、父から祖父の事は一切聞いた事は無いし、叔父さん達も祖父について何も語らなかった。それで私にとって祖父良章は何世代も前の様な感じがして遠い存在であった。最近になって田中先生が訪問されて祖父の話があった。その時にＬＣＴ爆発事件の本を頂いた。本を読んで行くうちに2週間程胃が痛くなり、ＬＣＴ爆発事件に遭った方々の怒り、悲しみ、苦悩が、誰が見ても涙無くしては読めないものです。私にとっては顔を見た事も無い写真も無い祖父ですけど、だんだん心の中で祖父に呼び掛けられているような気がした。今までは祖父を思い出す事は全く無かった。祖父の事を知る手掛かりを得て、ぼくの心境に大きな影響が出てきた事を自覚するようになった。自分の子供達や孫に対する気持ちも変わって来ました。子や孫は自分の存在より重たいものですから、どこの親もそうだと思うが、とにかく子や孫は今まで以上に愛おしいと強く思う様になった。私の職場は海洋博記念公園の水族館である。そこから目と鼻の先にある伊江島が良くみえます。昔は夜の伊江島は真っ暗でしたが今は夜景がとてもきれい。私に言わせれば香港の夜景よりもきれいと思う。夜、伊江島の前からコンテナ船が北の方に向けて航海している。夜勤の勤務中に夜景を見ながら時々祖父の事を考えるようになった。本を読んでいたら、他人事ですがＬＣＴ爆発事件で子や孫を亡くした人達はどんな気持ちだったんだろうと思うと何とも言えないやりきれない気持ちになる。

　田中英治先生は私の恩師であると同時に私の妻の兄弟達は田中先生を実の兄の様に慕って来た親戚みたいな親しい間柄です。今回、田中先生が訪ねて来られて長嶺さんが調べて貰った事により初めて知る祖父の存在。「祖父の事は、残された私の祖母、父や父の兄弟（叔父、叔母）達家族が祖父の事を語れず苦しみ続けた事を思うと眠れなくなった。しかし、やっと祖父の生きた証しに触れた気がして今はほっとしている」このＬＣＴ爆発事件を知るきっかけで人と人の関わり絆がいかに大切な事かを痛感した。「語る事を避ける、語れないがため」にあたら先祖の身の上が闇に消えてしまう。いわば、「その人の人生の足跡や歴史」が消える事でもある。苦しい悲惨な出来事はそう簡単に語れるもではない。「亡くなった祖父への供養」として、しっかりと子や孫達へ語って行こうと思う。

　伊江島ＬＣＴ被爆慰霊碑の犠牲者刻銘板に２０１９年7月、祖父「山城良章」が刻銘されて同年開催された8月6日に始めて祖父の慰霊祭ができた。それも私の祖父を探し続けきた長嶺福信さん、恩師の田中英治さん、そのきっかけとして平田一雄さんの新聞記事を提供した島袋和幸さんに深く感謝致します。

一番先に下船して難を免れた

中　村　英　雄　（91才　本部町健堅）

　　私は戦後予科練からふるさと健堅に戻り漁業に従事した。当時はエンジンも無い訳だからもっぱら舟を漕いだり帆をかけたりして人力でトビウオ漁等をしていた「うみんちゅ」（漁師）なんです私は。冬場は北風が強く西海岸の海は荒れてなかなか漁が出来なかった。子供達を育てる為に冬場は東海岸まで漁に行った。その時は、許田から東海岸の宜野座村潟原まで兄さん達６名とサバニを担いで運び辺野古方面でスズメダイ漁をした。辺野古地区の海は米軍の空襲がなく戦争の被害を受けてなかったので魚が一杯いた。辺野古でのスズメダイ漁は何か月か滞在をして続けた。獲った魚は、米と物々交換をして持ち帰った。夏場は塩屋湾辺りまで漁に出かけることもあった。もっと遠くへ出掛けるにはどうしても動力のエンジンが必要だった。エンジンを探していた時に「伊江島の米軍チリ捨て場にサバニの動力用として使えるエンジンがある」との情報があった。私は、爆発事件のあったその日エンジンを探すために家の直ぐ前の浜崎から、連絡船に乗り込んだ。私の他に健堅の平良さん（旧姓我部）と外間モウシさんの２人も前日名護湾で獲れたヒートゥ（イルカ）の肉を売るため乗船していた。乗船客の中にもイルカの肉を買って持ち帰る人もいた。島に向かう船上では渡久地の脇田さんと一緒になり立ち話しをした。脇田さんに「何しに行くの」と尋ねたら「洋服店をやっているので洋服の生地、布団カバーとかに使う落下傘等を買いに行く」と言っていた。連絡船が島に近づいた頃、港に目をやると子供達が桟橋の近くで泳いでいるのが見えた。連絡船が港に着くと同時に私は一番目に船を降り米軍チリ捨て場へ向かって急いで丘を駆け上って降りたところであった。前から米軍のトラックが走って来てすれ違って暫くしてから港の方からバーンと音がして振り向いてみたら煙が舞上がっていた。どうしようかと思っていたら、米軍が来てケガはしていないかと聞かれ、トラックで米軍のキャンプに連れて行かれ「ケガはないか」身体検査をされた。怪我してなかったのは丘を下った所で爆風等を受けない場所に居た為だった思う。それから港へ引き返してみたら、港は死体、爆弾の破片やイルカの肉等も混在し散乱していて、大変な悲惨な状況であった。遺体を探している人に大きな肉の塊は「これはイルカの肉だよ」と言った。とにかく現場は遺体を探す人でごった返していた。一緒に健堅から来た１つ年上の外間モウシさんのお腹に破片が当たって死んでいた。平良さんは無傷で外間さんの傍らで泣いていた。外間さんは戦災孤児で親族は誰も居ない。葬式もちゃんとしたのか不明である。それから私は知り合いの友寄さんの家に行って１晩泊まる事にした。翌日帰ろうと思ったが連絡船も破損して出ないので困っていた。そうしている内に兄と従兄弟達がサバニで私を迎えにきた。健堅の家では「家族皆が心配しているから帰ろう」という事になって一緒に帰った。このＬＣＴ爆発事件ついて最近になって長嶺さんには話しをしたが家族にも子供たちにも、この話はしていませんでした。島の人にも誰にも一言も言ってなかった。最近になって娘や教員をしている孫から「おじいさんは何をしていたの？」と聞かれる様になった。最近になって私がマスコミの取材を受けている事を娘や孫達が聞いたりして知ったと思う。ここ浜崎の海岸（現在の浜崎漁港）には米軍の物資倉庫があって食料や生活用物資が大量に貯蔵されていた。米軍は伊江島への物資等をここ浜崎から運んでいた。伊江島の連絡船も人は渡久地港（谷茶）で降ろして物資（配給品）を積むために浜崎にきていた。爆発事件の起きた８月６日も先に渡久地港（谷茶）で乗客を乗せて浜崎に来て物資等を積んでいた。また、以前は毎年４月に行われるアーニーパイルの慰霊祭の時に米軍人関係者を乗せた大型ＬＳＴが浜崎を利用していた。最後に、戦災孤児で身内が居ない外間モウシさんの名前を私は伊江島にある被爆慰霊碑に刻銘したいですね。

伊江島の戦時中及びLCT爆発事件を語る

　本書発刊にあたり沖縄県公文書館で伊江島の資料収集した中に戦時中、米軍が上陸した西崎のガマで捕虜となりナーラ浜に収容された子供達と一緒に写る先生の写真があった。写真の人を知っている方は居ないかと西崎の関係者を訪問し尋ねると、現在糸満市内に在住する玉城ハルキ（旧姓儀間）さんと判明した。早速ご自宅を訪問し、戦時中、戦後及びＬＣＴ爆発事件等をお伺いする事が出来た。お会いしたら昭和元年（1926年）生まれとは思えない程元気バリバリで76年前の出来事について理路整然と話しをされた。聞いている私がびっくりするほど記憶にブレが全く無かった。（以下　私が聞き取りした内容を記述する。島袋義範）

玉　城　ハルキ（旧姓儀間）　　（97才　糸満市）

　私は父権次が東京の製紙工場に勤務していて東京で生まれた。その後父の仕事の関係で京都の宇治に移りました。父は技術者として製紙工場に勤めていた。それから小学校4年生（10才）の頃に台湾に渡った。父は台湾で製紙工場の技術者として勤務した。私が中学1年生（13才、1938年）の時に家族は伊江島に帰った。暫くして太平洋戦争が始まり私は伊江島の飛行場建設工事現場の国場組の飯場で働いた。

　いよいよ戦争が激しくなり、私達家族は西崎の小浜あたりの崖の下のガマ（自然洞窟）を転々としていた。米軍が上陸して間もなく私達家族は捕虜となり米軍のトラックに乗せられてナーラ浜の収容所に連れて行かれ、液体の入ったドラム缶に入れられ頭から粉を掛けられて体の隅々まで消毒されたのを記憶している。（今だから言えるが）それから米軍の中に日野さんと名のる日系2世の方に私と名嘉キヨさん、饒平名キクさんの3人で収容所内の子供達（4〜6才）の世話をする様に指示されて子供達の面倒をみる事になった。私達が世話をしたのは殆ど西崎区の子供達だったと思う。日野さんは大変優しい兵隊さんだった。

　暫くしてナーラ浜の収容所から米軍の船に乗って座間味の慶留間島に強制移動された。慶留間島では島民が山奥に逃げていて、無人となった民家が割り当てられ、1年ほど住んで居た。今度は本部町の崎本部に移動させられ、そこで又一年近く居て1947年3月頃伊江島に帰る事が出来た。島に帰って来ても又米軍の兵舎だった所で集団生活を経て西崎に戻った。

　1947年末頃に私は友人を頼って糸満へ移り仕事をした。そこで主人と知り合い結婚しました。私の結婚祝いは1948年8月4日（ＬＣＴ爆発事件の2日前）、伊江島からはお祝いの為に父権次1人だけが糸満に来た。結婚祝いも無事終えて父は糸満で牛を買い、伊江島に連れて行く事になり8月6日は渡久地港で連絡船に乗る予定であった。しかしその日連絡船に乗り遅れてしまった。その当時の交通は不便でトラックで牛を運ぶ事があったのか分からないが父は多分牛を引いて歩いて帰った為に連絡船の出航時間に遅れたのではなかったかと思う。父が帰る連絡船が島へ到着する頃に波止場でＬＣＴ爆発事件が起きている。島に居た母や弟達は糸満から帰る父が連絡船に乗ったものと思い、弟達は西崎の家から波止場まで走って父を捜したが見つける事が出来ず大変心配したそうだ。幸いにも父はその日連絡船に乗り遅れたために助かった。私達家族は安堵した。私は、「ＬＣＴ爆発事件の2日前に結婚祝いをした事、父が牛を買って帰り船に乗り遅れて難を免れ命拾いした事」を生涯忘れる事は無いでしょう。

RG, Series Item: 080-G-321753

　米軍が伊江島を占領直後の1945年4月25日伊江島ナーラ浜収容所で撮影の為ポーズをとる儀間ハルキ先生と子供達。
　ハルキ先生は地下足袋を履いているが子供達は裸足である。ハルキ先生のスカートの生地はハスィガ（麻製の大豆等をいれた大きな袋）で手造りであった。

写真①　玉城ハルキ先生　　（1926年生まれ）
　　②　宮里正子（知念）　（1936年生まれ）
　　③　島袋清子（玉城）　（1939年生まれ）
　　④　内間君江　　　　　（1937年生まれ）
　　⑤　長嶺朝光　　　　　（1942年生まれ）
　　⑥　長嶺長健　　　　　（1941年生まれ）

人工知能＋手動補正

LCT爆発事件で亡くした母キクを語る

屋嘉比　智　章　（78才　那覇市）

　爆発の起きた1948年8月6日、私の母キク（姉妹達5名）は本部町で法事を終え連絡船で島へ帰って来た、その時隣りの浜には爆弾を積んだ米軍のLCTがとまっていた。船を降り自宅（西小学校の隣）へ帰る途中十字路の木麻黄の木の下で休んでいた時に爆発が起きた。自宅から約300mの所です。母だけが頭に破片が当たり即死であった。母と一緒に居た妹のトヨ子（2才）と他の4名は無傷であった。その時私は5才で家の近くで遊んでいたがびっくりして直ぐ家に駆け込んだ。

　家の前に燃えた大きな車のタイヤやリーム、真っ赤になった破片等が飛んできて目の前で大きなタイヤ燃えて怖かった。爆発音を聞いた父智源が家から飛び出して700m程離れた港へ向かって走った。父は家の近くで母が倒れているのを見つけ遺体と供に帰って来た。その時裸足の父の足は血だらけであった。

　私は母が父と一緒に自宅に帰った時に亡くなったという実感は全くなかった様に記憶している。母の遺体は大口の浜の西側に埋めた。その後、掘り起こし洗骨をして墓に納骨した。

　洗骨をした時に頭蓋骨から親指大の錆びた破片が「カラ、カラ」と音がして出てきたのを見た。

　母が亡くなってから我が家の生活は本当に大変だった。まず、父は、生活の糧を得る為に他家に雇われ朝早くから日が暮れるまで農作業に出て行った。留守番するのは5才の私と2才の妹と2人。5才の私が妹にお乳代わりにミルクを与えるのが日課となった。当時の鷲印練りミルク（米国製）は高価であった。方々歩いて鷲ミルクを探した事もあった。冷蔵庫も無い時代だから缶を開けた後の保管に困った。それと言うのも2才の妹はミルクを少ししか飲まなかったので1缶を空けるのに何日もかかった。沖縄の真夏の暑い日にはすぐ腐ってしまう。父が働きに出た後、家には2才の妹と2人だけです。近所のおばさん達にはミルクの作り方等大変お世話になった。哺乳瓶も無かった頃なのでオワンに溶かして飲ませるから口の回りがミルクだらけになる。5才の私にとって大変な仕事であった。母親代わりに妹を育てて来た積りだが、母の10分の1、いや100分の1も出来る訳がない。妹が初潮を迎えた頃、汚れた衣類を隠した時があった。その時思わず叱ってしまった。その事を今でも後悔している。その時母のいない生活の苦しさがとても身にしみた。幼い妹と2人で過ごした生活の記憶が今も鮮明に思い出される。

　妹は、那覇商業高校に進学、その後、家族に何も言わずに東京へ出て20代前半で亡くなった。

　父は娘の遺骨を前にして取り乱し「LCT爆発事件の時に死んでいたら、そんなに苦労はさせ無かったのに」と大声を上げて大粒の涙を流しながらやり場の無い怒りを吐き出した。

　家は貧しかったが父は懸命に働き私達兄妹2人を育ててくれた。父が酒を飲むのを見た事は無かった。（仏壇に供えたお神酒をなめるぐらい）数年前に90才で他界した父は私にとってとても優しい父親であった。

亡き父幸地良一を語る

主和津　ジミー（幸地達夫）（80才　北谷町）

　ＬＣＴ爆発事件が起きた1948年8月6日は、とても暑い日で私（幸地達夫）は友人らと家の近くの海で泳いでいた。西の港の方からドカーンともの凄い音が聞こえたので水中から頭を上げ西側を見ると城山よりも高い黒煙が立ち上っているのが見えた。その時私は7才だった。父幸地良一（当時35才）は米軍基地の通訳として働いていた。その日父は本島で亡くなった戦没者の遺骨を持って連絡船で帰る人達と迎えに来た家族を米軍のトラックで家まで送る為、港にいて事件に巻き込まれた。私は父の事が気になり波止場に走った。

　すると母サダが泣きながら叔父とリヤカーを引いていた。私は「どうしたの」と母サダに聞いた。リヤカーにあるのは「頭がなく、手、足もなかった」あまりにも変わり果てた父の姿が信じられなかった。父の遺体は東の浜の近くに埋める事にした。周囲の子供達を集めて相撲を教えたりして、スポーツが好きな父であった。ＬＣＴ爆発事件後、大黒柱を失い我が家の生活は激変した。母1人で5人の子供を育てるのは大変な事であったと思う。ある日父の働いていた米軍の上司が我家の生活ぶりを見て大変だろうから1人は面倒を見ようという申し入れがあり、次男である私に決まった。最初の頃は上本部の飛行場の基地に居て暫くして嘉手納基地に移り新な生活が始まった。（下の写真は嘉手納基地に移り住んで間もない10才の時、大勢の兵隊に囲まれて撮った写真）

　基地内で衣食住に満ちた生活が始まった。しかし日々必要なお金は自分自身で稼いだ。そのために学校へ行く前に新聞配達、学校から帰ってきたら遊ぶ暇なく芝刈りや靴磨きのバイト等をして稼いだ。稼いだ中から毎月島の母へ仕送りをして母の生活を助けた。16才の時に普天間のパプテスト教会の牧師シュワツ・ラッセルさんの養子となり主和津ジミーとなる。その後陸軍に入隊してアメリカ人として生きる道を選んだ。ベトナム戦争にも参戦した。次の写真はベトナムの戦地で現場からヘリコプターにぶら下がり命がけで脱出した時の光景を描いたものだ。

　その後1967年2月14日沖縄嘉手納基地に戻りアンガー高等弁務官の特技官に就き、高等弁務官に同行して何度か伊江島に行った。

　ランパート高等弁務官の特技官として働き、特に1970年12月に起きたコザ騒動の時はランパート高等弁務官の運転手として同行し、私はウチナンチュであると同時にアメリカ人でもある。現場を見て自分の心が引き裂かれる様な気持ちだった。その後嘉手納基地内の緑化推進を担当し、基地内にあるガジュマルの木を大事に育てていこうという考え方で建物を新設する際に、もしその場所にガジュマルの木があれば設計変更して別の場所に建設する様に軍の関係者に働きかけて来た。

（アンガー高等弁務官の伊江島視察に同行した時1968年9月10日）

（ランパート高等弁務官の伊江島視察に同行した時 1969年7月23日）

　退役後は、（現在も現役みたいな感じだが）基地内ゴルフ場の管理、顧問、その他には基地内と周辺の方々との橋渡し役として渉外担当をしている。

　プライベートでは困難な環境に置かれた子供達の施設を定期的に回り、靴下や衣類等を届ける等ボランティア活動もしている。

　子供達と接していると、父を亡くした後、私が幼い頃に親と離れ1人基地内で暮らしていた頃と重なり、つい胸が熱くなる。

　それから、年に1回嘉手納基地内で障害のある子供達の為、カデナ・スペシャル・オリンピックスのスポーツを通して交流するイベントも立上げた。（写真は2017年11月4日に開催した時のスナップである。）

　嘉手納基地内の道路に私の名前が付けられた「Jimmys Way」の標示が立っている。「Jimmys Way」の意味は「ジミーのやり方」を意味している。「小さな事でも出来る事からやって行く」それが私のやり方です。ジミーの言う通りやれば間違いないという事を評価されて道路に私の名前が付けられたと思う。

　私は最近になり父が犠牲になったLCT爆発事件の関係者の方々とお会いする機会が増えて来た。つい最近の事ですが、ふるさと伊江島の西小学校から私の話を聞きたいという声が掛り、西小学校6年生の児童の皆さんに講話をした。私は幼い頃に母親や兄弟と別れ1人伊江島を出た時から現在に至るまでを話した。その中で児童達はLCT爆発事件に関心があった。学習をして私の話も取り入れてくれて学習発表会では平和劇「時をこえ　伝えよう」を演じてくれた。観客席に居た私は71年前の悲惨なシーンが目に浮かび涙が止まらなかった。劇を演じてくれた児童達そして指導された宮城康人校長先生、玉城睦子教頭先生、與那城大樹先生、大嶺彩沙先生に大変感謝致します。

忌まわしい記憶が残る伊江島

名　嘉　幸　照（80才　福島県いわき市）

　私は少年の頃の忌まわしい記憶が残る伊江島を70年ぶりに訪問した1948年8月6日に米軍の爆弾輸送船の爆発事件が起きた。戦争中に使い残した爆弾の輸送中に起きた事故であった。死者107人、負傷者70人、沖縄での米軍関連の事故では戦後最大の惨事でした。

　父（増守）は焼玉エンジンの付いたポンポン船で伊江島や本部町に通い商売をしていた。8月6日、その日私は小学2年生（8才）で父と伊是名からポンポン船に乗って伊江島に来た。父は阿良の港に買い物に行って来るからそれ迄親戚の家で待っておきなさいと言って、私を港で降ろして東の阿良の港に向けて出て行った。

　私は港から上がって右手の方にある親戚の家に歩いていた、暫く歩いていると後ろの方からドカーンと爆発音が聞こえるのと同時に空からスコールの様にザーと細かい破片が降ってきた。血だらけになった大勢の人達が走っていた。私も走った。その中に真っ黒のすすだらけの顔で小学5、6年生の女の子が背中に子供を背負っていた。子供は血だらけで腕もだらっとしていて亡くなっていたかも知れない。我にかえって気が付いたら私は近くにあった大きな「ゆうな」の木にしがみついていた。それから裸足で破片を踏み火傷しびっこして歩いていたらピックアップトラックで黒人兵が寄って来て、荷台に放り投げる様に乗せられた。私は初めて身近に見るヘルメットの黒人兵のギョロとした大きな目をじっと見ていた。また、先程の女の子2人も荷物みたいに放り投げる様にして乗せた。薄い記憶だけど確か城山の北側のキャンプで足の怪我の手当てを受けたと思う。そこには怪我をした人達が大勢いた。はっきりしないが私はそこに1晩いたかも知れない。父の話に依ると、父は爆発音を聞いて直ぐ波止場に引き返してそして遺体の散乱する中、私を捜した。親戚の家にも居なかった。浜で遊んでいて爆発に巻き込まれてしまったと思ったようである。翌日米兵が私を拾った場所に連れて来てくれた。それで私は親戚の家を尋ねたら、父も居て皆びっくりして「死んだ筈の人が現れてマブヤー（亡霊）」と言われた。父のポンポン船で伊是名島へ帰った。伊是名島の家族は伊江島で爆発があった事は知っていたが死人が出る大惨事とは思わなかった。その後、父は伊江島のLCT爆発事件について一切口にしなかった。勿論私も話す事は無かった。忌まわしい事件を思い出したくなかったからである。その後伊江島に行く事は無かった。

　渡久地港（谷茶）は伊是名、伊江島、伊平屋の船が利用している所で伊江島に行こうと思えば直ぐ行けたのに私は伊江島行く気は全くなかった。

　あの大惨事の時、私は「ゆうな」の木に抱きついて命拾いした。それで幼心にも結婚してもし女の子が生まれたら名前を「ゆうな」の木に因んで「ゆうな」にしようと密かに思っていた。私は生まれて来た長女に「ゆうな」と名付けた。娘の「ゆうな」は現在「ちゅらゆーな株式会社」（那覇市在）の社長として伊是名島名産の「モズク」の販売を県内、国内をはじめ香港、台湾、上海等にも輸出している。私は貧乏から解放される為、船乗りになり、大型タンカーで世界を掛け巡り、金儲け（ジンモーキー）もいっぱいした。アメリカ人乗組員と知り合うきっかけで原子力発電に興味が出てGE（General Electric Company）に入社、GEの技術者として福島県に移り住み、福島第一原発のスタート時から約40年間同原発に携わる。「エネルギーは国家なり」と捉え、人々は光や明るさ、豊かさを求め続けた結果、その延長線上で起きたのが原発事故だった。

小生はマブヤー（亡霊）ではなく、原発のユタ（占い師）としてしばらく頑張ろうと思う。

名嘉幸照さんからのレター

親愛なるチョーデー（兄弟）の皆様各位　殿

ご無沙汰しています。お元気ですか？
福島のタンメーも社員や周りの皆様から優しく忖度され、楽しく元気に春を迎えました。
年を重ねると、幼い頃、島でランプの生活をしていた頃を思い出します。
貧しく暗い島を明るくすることを考えていました。隣の伊江島が明るく音を立てて燃えているのが記憶に残っています。戦争すれば、島中が明るくなることを知りました。
8歳の頃に、おやじのポンポン船で伊江島に渡り、アメリカ軍の弾薬船（LST）爆発に浜辺で遭遇しました。ゆうなの木にしがみつき、軽傷でした。多くの死体を踏みつけながら、タッチューの方向に逃げました。黒人のGI に助けられ、2～3日してからアメリカ軍のキャンプから帰ってきたら、みんなからマブヤー（亡霊）と言われました。やっぱり戦争で明るさと豊かさは得られないと思いました。
島の貧乏から解放されるために船乗りになり、世界各国を駆け回って金儲け（ジンモーキー）もいっぱいしました。日本のこともわかるようになりました。
「エネルギーは国家なり」と捉え、光や明るさ、豊かさを求め続けた結果、その延長線上で起きたのが原発事故でした。
戦前は軍事、戦後は経済、という違いはありますが、国家が総力戦を展開し、それぞれ破綻したと思っています。今回の原発事故で原発おじいーが心からほっとしたことがあります。この件については、詳しくは話したくないのであります。
現場で昼夜ウートートーアートートーでありました。日本にはやっぱり神風はあると信じたいです。あきらかな人為的な過ちを自然災害として取り扱う。そして開発が遅れた地方に危ない代物を与えて喜ばす。原発と仲良くした福島県民も、基地が豊作の沖縄県も、災害が起これば代物を与えた人々は、ユウヒッタイ（自業自得）と遠くから眺めています。
福島では、7万人以上が避難民です。それは地域の限定的なことで、日本全体から見ればそれほど問題にすることはないだろうと。つまりIt's not in my backyard（俺の庭でなければよいだろう）という考えであるようです。当地方では、未だに生業を無くした人々が色々と悩んでいるようです。小生もマブヤー（亡霊）ではなく、原発のユター（占い師）でしばらくは頑張ろうと思っています。
長々とユンタクしてごめんなさい。
小生は原発賠償金と年金で懐が少々豊かになり、最近は上等の日本酒で晩酌しています。
7年目に小生の本が増刊になりました。同封しましたので、お友達に差し上げてください。

ニヘーディービル！ Thanks a lot！
3/11/2018
名嘉幸照　090-1494-6796
naka@tohoku-enterprise.com

8. 主要参考資料等及び協力機関及び協力者

主要参考資料等

沖縄県公文書館
伊江村史（上巻・下巻）
伊江島の戦中・戦後体験記録　イーハッチャー魂で苦難を越えて
本部小学校百年誌（本部尋常高等小学校50周年誌）

協力機関

伊江村
伊江村教育委員会
伊江村郷友会
伊江島緑十字機を語る会
沖縄アジア国際平和芸術祭実行委員会
一般社団法人すでぃる
伊江村立西小学校

刻銘者一覧

伊江村

			追加刻銘
東江 照一	幸地 良一	平安山 厚勇	
東江 スミ	崎濱 秀聖	宮城 忠吉	那覇市
東江 春	島袋 二蔵	屋嘉比キク	照屋 廣吉
東江 正宜	島袋 良一	山城ヨネ子	與儀 榮吉
東江 正良	志良堂ユキ	與那城清榮	平成二九年度 追加刻銘
東江 ナベ	棚原 ハツ	饒平名ナへ	
東江 正一	玉城 恵美	安富祖豊利	恩納村
東江 竹松	玉城 喜光	安富祖豊文	伊江村　山城代仁子
東江 八英	玉城 良明	金城 安政	
東江 正宏	玉城 武太	宮平 安長	本部町
東江 正昭	知念 文子	知念 清善	平成三一年度 追加刻銘
東江 正喜	知念ハマダ	上間 徳正	本部町　山城 良章
東江 正哲	知念ヒロ子	上間 トシ	本部町　脇田 一男
東里 八重	照屋 貞子	上間 信子	
安里 常子	照屋 昭夫		
阿波根ツル	渡慶次道仁		
新城カマタ	友寄 隆次		読谷村　桃原 トシ
上間 タツ	並里 ヤス		平成二一年度 追加刻銘
上間 愛子	備瀬 マツ		
内間栄一郎	富名腰正次		
浦崎 直信	富名腰ハナ		本部町　富名腰健太郎
喜納 政才	富名腰キヨ子		
喜屋武トミ子	富名腰健太郎		本部町　仲田 亀榮
喜屋武 芳	富名腰武助		
金城 信子	平安山武助		恩納村　比嘉 ヒデ
金城 良助	平安山スミ		
幸地 勝男	平安山ツル		
	平安山良隆		
	平安山洋子		

　2020年11月に「伊江島の記録と記憶PartⅡ」LCT爆発事件、爆弾集積場の火災・爆発事故及び「伊江島に降りた白いハト・緑十字機」写真展及びビデオの上映（しまぐちで語るLCT爆発証言、平和劇・時をこえ　伝えよう）を那覇市民ギャラリーで開催した。また同時に伊江島の記録と記憶PartⅡシンポジウムもパレット市民劇場で開催し盛況だった。周囲から「記念誌を発刊したらどうか」と提案され、年が明けてから具体的な取り組みに入った。

　写真展の主体となった写真は全て米軍が撮影して残したものである。米軍が撮影したものはあくまでも借り物である。その当時伊江島独自で撮影された写真は一枚も無い。しかし73年前LCT爆発事件、爆弾集積場火災・爆発が起きた時にその現場に居合わせた方々がいる。その方達がそれぞれ居た場所で体験された記憶（目に飛び込んだ光景、耳にした爆発音、現場の状況、痛み、苦しみ、悲しみ、悔しさ、怒り、心の葛藤など）を辿り語って頂き、伊江島の記憶として記録した。起きた事件を正確に語り継ぐ主体は伊江島に住む方々である。

　今回、現場に居た方々の記憶を「いーじまぐち」で語って貰う事を写真家の比嘉豊光さんが提案された。73年前の伊江島のコミュニケーション言語の主たるものは「いーじまぐち」であった。聴き取りした体験者は80代から最高齢者は93才の方々である。流暢な「しまぐち」で語りはじめたらとどまることなく実にスムーズに話が進んで「しまぐちで語る」証言をビデオ収録できた。今回はこの「いーじまぐち」を「やまとぐち」にして記録として残してある。それから西小学校6年生の児童達が学習発表会で「時をこえ　伝えよう」をテーマに平和劇を演じた。児童達は平和学習の為に島内、島外の戦跡巡りとLCT爆発事件について体験された方々の話を聞いて担任の先生と相談の上LCT爆発事件をテーマとして演劇する事を決め6年生全員で舞台作りも行い、素晴らしい平和劇を演じてくれた。

　今まであまり知られてなかったLCT爆発事件の真相、特に不発弾処理ではなく大量の未使用爆弾の処理作業中に起きた爆発事件で大惨事になった事を明らかにした。

　この爆発事件で一瞬にして107人の尊い命が奪われ、70余人の負傷者、家屋8軒が焼失した。祖父、祖母、父、母、子供、孫、兄弟、友人等を失い残された遺族の深い悲しみと同時に生活、人生が激変して行った事、怪我をした方々は傷の痛みに加えて多額の治療費に苦しみ続けている。そして今も尚事件について固く口を閉ざしている遺族が居る。又犠牲者の中に戦災孤児が居て未だ刻銘されてない方も居る。その様な事実を私達は決して見過ごしてはならない。

　私たちは「時をこえ　伝えて行きたい」あの悲惨な「伊江島LCT爆発事件」の事実を。

　そして2度と同じ不幸な大惨事が起らない事を切に希望する。

　今回、編集委員は「伊江島米軍LCT爆発事件8・6の会」代表顧問の島袋清徳氏、顧問の並里弘安氏、知念シゲ氏、会長の島袋義範氏、副会長の玉城睦子氏、與那城大樹先生、大嶺綾紗先生と事務局の長嶺が担当し作業を進めた。その中で知念権三さんに依る爆発当時の証言記録の英文の翻訳は伊江中学校教頭、赤嶺美奈子先生が担当しました。コロナ禍の環境にあって作業の進捗は中々捗らずおまけに7月18日に発生した台風6号にも阻まれ一時はどうなるか心配したが編集委員のご尽力により発刊にこぎつけることが出来ました。記念誌の発刊にご協力を頂きました関係者及びちとせ印刷株式会社の皆様に感謝申し上げます。

事務局　長　嶺　福　信

◇◇◇◇◇◇◇◇◇◇◇◇◇◇ 編集委員会 ◇◇◇◇◇◇◇◇◇◇◇◇◇◇

委員長　　島 袋 義 範

監　修　　島 袋 清 徳　　　　　並 里 弘 安

委　員　　知 念 シ ゲ　　　　　玉 城 睦 子

　　　　　與那城 大 樹　　　　　大 嶺 綾 沙

事務局　　長 嶺 福 信
◇◇◇◇◇◇◇◇◇◇◇◇◇◇◇◇◇◇◇◇◇◇◇◇◇◇◇◇◇◇◇◇◇◇

伊江島の記録と記憶
時をこえ伝えよう
伊江島米軍爆弾輸送船
LCT爆発事件

発 行 日　2021年8月6日

編　　集　伊江島米軍LCT爆発事件8・6の会編集委員

発 行 者　伊江島米軍LCT爆発事件8・6の会

　　　　　事務局　長 嶺 福 信

　　　　　〒903-0116　沖縄県西原町幸地311 B-9

　　　　　ＴＥＬ：０９０－４４７０－８５５９

印　　刷　株式会社　ちとせ印刷

　　　　　〒901-2131　沖縄県浦添市牧港2-1-5

　　　　　ＴＥＬ：０９８－８７９－５８１４

表紙題字　伊江中学校2年　志良堂　倫太郎

ISBN978-4-9912232-0-4 C0021